A VIDA NA ANTIGA GRÉCIA

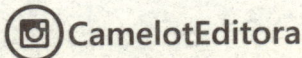

CONHEÇA NOSSOS LIVROS ACESSANDO AQUI!

Copyright © 2016 Gustavo Aleixo e Walter Fernandes
Direitos reservados e protegidos pela lei 9.610 de 19.2.1998.
Nenhuma parte deste livro pode ser reproduzida, arquivada em sistema de busca ou transmitida por qualquer meio, seja ele eletrônico, xérox, gravação ou outros, sem prévia autorização do detentor dos direitos, e não pode circular encadernada ou encapada de maneira distinta daquela em que foi publicada, ou sem que as mesmas condições sejam impostas aos compradores subsequentes.
1ª Impressão 2022

Presidente: Paulo Roberto Houch
MTB 0083982/SP

Coordenação Editorial: Priscilla Sipans
Coordenação de Arte: Rubens Martim (capa)
Edição: Ana Vasconcelos (ECO Editorial)
Diagramação: Patrícia Andrioli
Imagens: Shutterstock

Foi feito o depósito legal.

Dados Internacionais de Catalogação na Publicação (CIP)
de acordo com ISBD

A366s   Aleixo, Gustavo

A Vida na Antiga Grécia / Gustavo Aleixo, Walter Fernandes. - Barueri : Camelot Editora, 2022.
144 p. ; 15,5cm x 23cm.

ISBN: 978-65-80921-43-0

1. História. 2. Grécia. I. Fernandes, Walter. II. Título.

2022-2770   CDD 949.5
                           CDU 94(38)

Elaborado por Vagner Rodolfo da Silva - CRB-8/9410

Direitos reservados ao
IBC — Instituto Brasileiro de Cultura LTDA
CNPJ 04.207.648/0001-94
Avenida Juruá, 762 — Alphaville Industrial
CEP. 06455-010 — Barueri/SP
www.editoraonline.com.br

SUMÁRIO

O LEGADO GREGO..5

1. A FORMAÇÃO DO POVO GREGO 6

2. DO CAMPO PARA AS CIDADES-ESTADO...........19

3. OS GREGOS E AS GUERRAS..............................33

4. GRÉCIA, A REFERÊNCIA NA DEMOCRACIA.......48

5. A ESCOLA DE SÓCRATES...................................65

6. MITOLOGIA GREGA: DEUSES E HERÓIS 74

7. SAÍDA PELO MAR..87

8. DECLÍNIO DE ATENAS E DAS CIDADES-ESTADO.............94

9. O AVANÇO DAS IDEIAS GRECO-ROMANAS...................103

10. A EVOLUÇÃO DAS EXPRESSÕES ARTÍSTICAS.............118

O LEGADO GREGO

A concepção democrática de governo, a constituição das cidades como conhecemos, o processo da busca da razão, a filosofia, a medicina, a concepção de estética por meio da arte, as leis geométricas, o teatro... poderíamos listar páginas e páginas dos legados que a civilização grega deixou para a história da humanidade – uma herança cultural exuberante, que influenciou o pensamento, a ciência e as artes do ocidente.

Nesta obra, você descobre como tudo começou, desde a formação do povo grego, passando pela evolução das cidades-nação e a atuação de Sócrates, Platão e outros filósofos. Conheça, também, como os hábitos e as características do povo grego ecoaram em outros territórios durante um longo período.

Desvende as histórias de divindades, da arquitetura, das artes, do teatro e de diversos outros aspectos dessa civilização que tanto influenciou a formação do mundo como conhecemos hoje.

1
A FORMAÇÃO DO POVO GREGO

A TRAJETÓRIA DAS CIVILIZAÇÕES QUE FORAM A BASE PARA A COMPOSIÇÃO ÉTNICA DA GRÉCIA ANTIGA

A FORMAÇÃO DO POVO GREGO

Antes de conhecer a rica trajetória e o apogeu da Grécia Antiga, das grandes construções, dos líderes políticos e filosóficos, é fundamental compreender a origem e formação do povo que ocupou o atual território grego antes que Homero, Sócrates, Platão, Aristóteles, Temístocles e Péricles, entre vários outros, pudessem marcar os nomes eternamente na história.

Dessa forma, pode-se afirmar que, na Grécia e nos arredores (no sudeste da Europa, conhecido como Península Balcânica), existem evidências de mais de 50 assentamentos humanos desde o Paleolítico – também chamado de "Idade da Pedra Lascada", período pré-histórico que teve início há aproximadamente 2,5 milhões de anos a.C. até 10 mil anos a.C. Segundo historiadores, as civilizações da época tinham a economia baseada na caça, coleta, pesca e mineração, além da produção de equipamentos domésticos (tigelas e vasos), a partir de madeira e argila. Espátulas, facas, martelos e outras ferramentas eram produzidos com chifres e ossos. Há indícios de que os povos da região praticavam a navegação, por causa da comunicação intensa entre ilhas da Península da Magnésia, no Mar Egeu.

Já no Período Mesolítico, que marcou a transição entre o Paleolítico e o Neolítico, surgiram os primeiros registros de habitações feitas de pedra, além de cemitérios, mas as populações do local ainda preferiam se proteger em cavernas. O uso de embarcações passa a ser mais frequente para a busca de mercadorias e verifica-se o processo de cultivo de plantas, bem como a domesticação de animais – com destaque para a criação de porcos. A caça, a coleta e a pesca continuaram como a base das sociedades gregas. Vale lembrar que anzóis, amuletos, colheres e lâminas foram desenvolvidos nessa época. A partir do momento em que homens e mulheres passaram a se dedicar à agricultura e pecuária, observa-se o crescimento populacional em algumas regiões da Península Balcânica, pavimentando o caminho para a próxima fase da evolução dos gregos.

O Período Neolítico – ou "Idade da Pedra Polida", entre 10 mil a.C. e 3 mil a.C. – registrou as primeiras aldeias instaladas em áreas costeiras e no interior, em planícies ou serras perto de rios e lagos. A finalidade era aproveitar a terra fértil, além da água para o abastecimento humano e animal. Uma característica interessante, naquela época, foi o começo da divisão do trabalho entre homens e mulheres: eles cuidavam da segurança, caça e pesca, enquanto elas plantavam, colhiam e educavam as crianças.

CIVILIZAÇÕES GREGAS DA PRÉ-HISTÓRIA

A oferta de alimento possibilitou o aumento do tempo de lazer na Grécia continental. Ressalta-se, ainda, que a necessidade de armazenar o produto da agricultura e as sementes para cultivo leva à criação de peças de cerâmica, que passariam a ser vistas como objetos decorativos. Com a ampliação dos contatos culturais e das redes comerciais, diversos produtos neolíticos passaram a se espalhar pelo interior da Europa.

Dentro do Neolítico, no período denominado "Acerâmico" (6800 a.C. – 6500 a.C.), uma pequena quantidade de sítios abrigava aglomerações com até 100 pessoas, que habitavam cabanas ovais subterrâneas, escavadas parcialmente na terra, com pavimentos de argila. Os aspectos econômicos baseavam-se na agricultura (aveia, trigo, cevada, lentilhas e ervilhas), na pecuária (bovinos, ovinos, caprinos, suínos e cães), na coleta (nozes, azeitonas e pistache), na caça e na pesca.

Representação da produção de farinha com instrumentos de pedra, uma forma tradicional de trabalhar os ingredientes durante o Período Neolítico

A FORMAÇÃO DO POVO GREGO

Desde 1990, a ilha de Delos é considerada Patrimônio Mundial da Humanidade pela Organização das Nações Unidas para a Educação, a Ciência e a Cultura (Unesco).

Esculturas da ilha de Delos, importante sítio arqueológico grego

A evolução dos povos do Neolítico levou à formação da cultura Sesklo, uma das principais da pré-história grega, com destaque para a região de mesmo nome, próximo à cidade de Volos, na porção central do país. No local, as cabanas de madeira foram substituídas pelas de pedra, compostas por tijolos fixados com troncos entrelaçados na horizontal e na vertical. Existiam valas para a contenção da água, poços para a retirada do líquido e até mesmo uma rua pavimentada. Sesklo apresentava-se como uma aldeia murada, coberta por edifícios quadrados e retangulares.

Outra civilização que expandiu a influência na pré-história grega foi a Dimini, que prosperou na região da Tessália (centro-norte do país). Os assentamentos caracterizavam-se por grandes edifícios retangulares e construções feitas com pedra (Dimini) ou madeira, assim como valas e áreas para atividades especializadas. Nas residências, em geral, havia lareiras e porões. Fabricação de joias, manuseio de metais (prata e cobre), produção de estatuetas de mármore, comércio, policultura e produção de cerâmica representavam as principais atividades econômicas do povoamento.

A cultura Rachmani foi a última população neolítica da parte continental grega, com registros entre 4500 a.C. e 3200 a.C. Os integrantes preferiam assentamentos em zonas costeiras, especialmente nas cavernas, evidenciando a importância do contato com o mar e das trocas comerciais. Homens e mulheres evoluíram na criação do gado, e aldeias situadas em terras baixas tornaram-se grandes centros econômicos durante o período.

Nas ilhas do território grego, o destaque ficou para Creta, a maior e mais populosa. As evidências mais antigas da presença de seres humanos no local são cerâmicas do neolítico de restos de comunidades agrícolas datadas de cerca de 7000 a.C. Os primeiros habitantes viviam em grutas. Aos poucos, eles começaram a formar aldeias pequenas, além de construções com pedra. Na costa, havia cabanas de pescadores, enquanto as planícies férteis eram bastante exploradas. A população de Creta plantava trigo e lentilhas, criava bovinos e caprinos e produzia armas com ossos, chifres, hematita e calcário.

As civilizações do Mar Egeu chegam à Idade do Bronze com graus de evolução diferentes, mas quatro delas ganham destaque na região do território grego. Um grupo ocupou a região de Cíclades (arquipélago ao sul da Grécia). O nome, em grego, significa "circular" e indica as mais de 200 ilhas que ficam perto da também ilha de Delos, que serviu, na Antiguidade Clássica, como santuário de Apolo, venerado na mitologia grega como deus do Sol e da luz.

Panorama de uma das ilhas que formam o arquipélago conhecido como região das Cíclades

Nas Cíclades, a cultura Grota-Pelos foi a primeira identificada, desenvolvendo-se entre 3100 a.C. e 2650 a.C. Os edifícios eram retangulares, com até duas salas com paredes de pedra e argila. Os assentamentos eram pequenos povoados agrícolas.

A cultura Ceros-Siros é caracterizada pela grande quantidade de assentamentos pequenos e de curta duração, em que cada sítio, de acordo com pesquisadores, possuía um cemitério fora dos muros das fortificações. As construções eram erguidas com o conhecimento de alvenaria e possuíam dois andares. Em Delos, foram encontrados edifícios menores, organizados em quartos com os cantos arredondados.

O grupo denominado Kastri também apresentou desenvolvimento nas Cíclades, entre 2400 a.C. e 2200 a.C., em aldeias de Siro, Panormos, Delos e Ceos. Os trabalhos com estanho, bronze e prata são características importantes do período.

A cultura Filácopi é considerada a fase final dos povos que integraram a Civilização Cicládica. Aldeias grandes e bem organizadas começaram a surgir. Essa população trocou a preferência por sítios à beira do mar para aglomerações fortificadas no interior das ilhas, possivelmente por causa da ação de piratas no arquipélago.

A VIDA EM CRETA

A Idade do Bronze na ilha de Creta começou por volta de 2700 a.C., por meio da introdução do cobre para ferramentas e armas, marcando o fim do Período Neolítico. A expansão do uso do bronze no Mar Egeu está ligada a migrações populacionais na costa da Ásia Menor para Creta, Cíclades e sul da Grécia.

Tais localidades iniciariam uma fase de desenvolvimento marcado principalmente pelo crescimento das relações comerciais com a Ásia Menor e o Chipre. Com isso, observam-se, ainda, alterações em relação à organização social, bem como aperfeiçoamentos tecnológicos e melhor qualidade de vida dos habitantes. A partir de então, a ilha viveu a transição da economia agrícola para atividades mais dinâmicas, resultado do comércio marítimo com outras regiões do Egeu e do Mar Mediterrâneo. Creta passou a ocupar um lugar de destaque na região, principalmente em razão da frota de embarcações. Os portos evoluíam para centros de influência, inclusive com o intercâmbio comercial com a Ásia. Aldeias foram ligadas por estradas e a conexão entre as regiões ficou mais fácil.

A VIDA NA ANTIGA GRÉCIA

Vila de Panormo, na ilha grega de Creta, local que contou com a presença de representantes do grupo Kastri

Ainda no aspecto econômico, naquela época, os habitantes da ilha já cultivavam diversas espécies de cereais e legumes, com ênfase na produção de vinho, uvas, óleo e azeitonas. A tecnologia ligada ao uso de tração animal foi desenvolvida no período.

Entre 3500 a.C. e 2500 a.C., as bases foram lançadas para o desenvolvimento da Civilização Minoica, um dos povos que teve maior influência na consolidação da Grécia Antiga e que se originou em Creta.

POPULAÇÕES DA GRÉCIA CONTINENTAL

O termo "Civilização Heládica" é empregado para analisar uma série de períodos que caracterizaram a cultura do continente grego durante a Idade do Bronze. A classificação engloba povos que viveram na região entre 3100 a.C. e 1100 a.C.

A cultura Eutresis foi a primeira a desenvolver-se no continente. Há registros de atuação do grupo entre 3100 a.C. e 2650 a.C., que construiu aldeias na Beócia, Ática, Coríntia e Argólida.

Já o povo Korakou distribuiu-se pela Península do Peloponeso (sul da Grécia), Ática, Eubeia, Beócia, Fócida, Lócrida e ilha de

A FORMAÇÃO DO POVO GREGO

Representação da arte minoica em um palácio de Cnossos, na ilha de Creta

Levkas, sobretudo entre 2650 a.C. e 2200 a.C. Muitos assentamentos, especialmente na Argólida, foram destruídos e incendiados antes de serem abandonados ou retomados pelos representantes de outras culturas, principalmente da tradição micênica, outra população que exerceu forte influência sobre os gregos.

As civilizações Lefkandi e Tirinto também apresentaram desenvolvimento de destaque em regiões da porção continental da Grécia. De acordo com especialistas, a cultura Tirinto pode ser o resultado de um processo de integração cultural entre os Korakou e os Lefkandi, uma "fusão" que ocorreu com diversas populações durante o período pré-histórico.

O DESENVOLVIMENTO DA CIVILIZAÇÃO MINOICA

O grupo composto pela Civilização Minoica floresceu em Creta, sobretudo após a introdução do cobre, por volta de 2700 a.C. O termo "minoico" foi elaborado pelo arqueólogo inglês Arthur Evans, que realizou escavações em Cnossos, o maior sítio arqueológico da ilha. O nome da população deriva do nome do rei mítico "Minos", que, na mitologia grega, foi um governante semilendário da região, filho de Zeus e da princesa fenícia Europa.

> Em relação ao vestuário, os tecidos eram feitos de fibras de linho e lã. Existem, ainda, evidências do uso de seda, pois foram encontrados casulos de bicho-da-seda. As mulheres vestiam amplas saias em forma de sino, com sucessivos tecidos e faixas decorativas elaboradas, sandálias bordadas, sapatos de salto, botinas, joias feitas com metais preciosos e pedras coloridas, coloração nos olhos e na face, além de tatuagens. Os homens utilizavam roupas semelhantes às de pastores e tangas ornadas com desenhos em espiral, além de calçarem botas altas.

Placa minoica com a representação do vestuário da civilização que ocupou a região de Creta

Na hierarquia minoica, os reis recebiam o nome de Minos, o que teria salientado, possivelmente, a origem do tal mito. No poema épico "A Divina Comédia", do escritor italiano Dante Alighieri, Minos aparece como um dos juízes do inferno, ouvindo as confissões dos mortos.

Os palácios minoicos são as construções mais bem acabadas já escavadas na ilha, pois serviam para finalidades administrativas, a partir de grandes arquivos de documentos desenterrados por arqueólogos. Segundo historiadores, a civilização Minoica foi muito mais avançada que a contemporânea civilização Heládica, durante a Idade do Bronze. De acordo com pesquisas, a Creta ocupada pelo povo minóico permaneceu livre de invasões por muitos séculos e conseguiu desenvolver uma civilização autossustentável, provavelmente a mais avançada no Mediterrâneo naquele período.

A presença de trabalhos específicos entre os minoicos é indício de elevada especialização, grande mão de obra e divisão bem sucedida das tarefas. Um sistema burocrático e a necessidade de

A FORMAÇÃO DO POVO GREGO

Ruínas do palácio minoico em Cnossos, na Grécia

controlar a circulação de mercadorias formaram as bases sólidas para a civilização, além de uma possível economia baseada em um sistema escravista. Com o passar do tempo, o poder dos centros orientais começa a declinar, sendo substituído pela influência de outras localidades.

O período entre os séculos XVII e XVI a.C. representa o apogeu da Civilização Minoica, com centros administrativos que controlavam territórios vastos, fruto da melhoria e desenvolvimento das comunicações terrestres e marítimas, bem como da construção de estradas e portos. A presença de navios mercantes também foi fundamental, uma vez que eles navegavam com produções artísticas e agrícolas, posteriormente trocadas por matérias-primas. Entre 1700 a.C. e 1450 a.C., a monarquia de Cnossos conquistou a supremacia de Creta, com o sistema apoiado pela elite mercantil, criando um império comercial marítimo, conhecido como "Talassocracia". A extensão do sistema político é comprovada pela grande quantidade de cidades com nome "Minoa" encontradas nas ilhas do Egeu, na costa síria, no continente grego e na Sicília.

A religião da civilização minoica era basicamente matriarcal, sustentada principalmente na grande quantidade de divindades femininas. Em muitas imagens, existe preponderância de representações de mulheres, incluindo uma "Deusa Mãe" (da fertilidade) e uma "Potnia" (senhora dos animais, protetora das cidades e da família). Elas são representadas, por exemplo, por serpentes e pássaros. Os minoicos ergueram santuários em locais naturais ou nos palácios. Além disso, a elite mercantil possivelmente sustentou a própria autoridade por meio da ideologia de parentesco com as divindades.

Uma das correntes que tenta explicar o declínio do povo minoico tem ligação com a erupção vulcânica do Tera (ou de Santorini), ocorrida na região de Cíclades entre 1650 a.C. e 1450 a.C., com alto índice de destruição. O fenômeno natural devastou o assentamento minoico em Acrotíri, que foi enterrado sob camadas de pedra-pomes. Um grupo de estudiosos acredita que o acontecimento afetou gravemente a civilização de Creta, embora a dimensão exata do impacto seja debatida.

As primeiras teorias propuseram que a queda de cinzas na metade oriental da ilha de Creta sufocou a vida das plantas, causando a fome da população local. Há hipóteses de que gases nocivos tenham chegado à ilha, intoxicando muitos seres vivos. Além disso, o território teria virado um destino para refugiados de arquipélagos do Mar Egeu. Como os minoicos foram uma potência marítima e dependiam da marinha, a erupção originou dificuldades econômicas significativas.

A INFLUÊNCIA DO POVO MICÊNICO

A Civilização Micênica é considerada uma das sociedades mais sofisticadas da cultura grega, por causa da grande disseminação artística e da avançada organização política, que, de acordo com especialistas, preconizava a igualdade entre homens e mulheres. Desenvolveu-se no continente grego aproximadamente entre 1600 a.C. e 1050 a.C. O termo deriva de "Micenas", nome de um dos centros regionais micênicos mais importantes. Também denominados "aqueus", iniciaram a incursão ao território grego por volta de 2000 a.C., chegando a conquistar os habitantes chamados pelágios, nativos do território grego.

A população micênica caracterizava-se pelo comércio ativo. O grupo conquistou a ilha de Creta por volta de 1450 a.C. Eles exerceram notável influência econômica e cultural na região durante 200 anos. O povo era caracterizado por uma aristocracia de guerreiros e falava uma forma arcaica da língua grega, o grego micênico. Os mais antigos documentos em grego foram registrados por essa civilização, que construiu aldeias fortificadas em Micenas, Tirinto e Pilos, entre outros centros importantes.

Várias características da cultura micênica sobreviveram nas tradições religiosas e na literatura grega dos períodos Arcaico e Clássico, notadamente nas epopeias "Ilíada" e "Odisseia", escritas por Homero. Micenas teve o auge e foi a cidade mais próspera da Grécia por muitos anos, influenciando diversos setores, como as artes, a engenharia e a arquitetura.

Na avaliação de pesquisadores, a invasão dórica (do povo dório) é considerada a causa do fim da civilização micênica, marcando o fim da Idade do Bronze. Os dórios concentravam-se nas atividades militares e atuavam na guerra como forma de obter recursos. Os espartanos foram descendentes dessa civilização, fato que explica, em parte, o interesse de Esparta pelas batalhas na Antiguidade.

PERÍODO HOMÉRICO

No estudo sobre a Grécia Antiga, o apogeu das civilizações minoica, micênica, cicládica e heládica também é conhecido como Período pré-Homérico (entre 2000 a.C. e 1100 a.C.). Trata-se da época da proeminência de povos importantes na formação da cultura da região.

A população grega tem origem em grupos étnicos que migraram para a Península Balcânica em diversas ondas, no início do segundo milênio antes de Cristo: aqueus, jônios, eólios e dórios. Os invasores são conhecidos, em geral, como "helênicos", cuja organização de aldeias baseava-se na crença de que as populações descendiam do herói Heleno, filho de Deucalião e Pirrà.

A vitória dos aqueus (ou micênicos) em Creta, por volta de 1450 a.C., abriu portas para a hegemonia na porção oriental do Mar Mediterrâneo. O domínio foi ampliado por volta de 1200 a.C., quando a cidade de Troia, na Turquia, foi conquistada, oferecendo acesso às terras do litoral do Mar Negro.

O Período Homérico (entre 1110 a.C. e 800 a.C.) é marcado pela ascensão das células de cidades-estados, pela literatura épica de Homero e pelos primeiros registros escritos a utilizarem o alfabeto grego, no século VIII a.C. De acordo com registros arqueológicos, houve um colapso da civilização que habitava o mundo Mediterrâneo oriental durante esse período. Os grandes palácios e cidades dos micênicos foram destruídos. Aldeias inteiras foram abandonadas. Tais fatos fazem com que o espaço de tempo também seja conhecido como "Idade das Trevas".

Segundo historiadores, os gregos viviam em habitações menores, indicando uma época de escassez de alimentos e de queda populacional. Aos poucos, as monarquias passaram a ser substituídas pela aristocracia. Paralelamente, o ferro substituiu o bronze, que passou a ser usado na fabricação de ferramentas e armas. Os grupos familiares reuniam-se em torno da chamada comunidade gentílica (ou genos). Nesse tipo de organização social, a família mobilizava-se pela exploração extensiva das atividades agrícolas. Cada grupo contava com um patriarca, responsável por tratar de diversas questões, com o trabalho sendo exercido de modo coletivo.

Em relação à escrita, o uso do sistema silábico dos minoicos (escritas lineares) caiu em desuso, sendo substituído pelo sistema alfabético de escrita semítico, criado pelos fenícios, mas que foi pelos gregos que começou a ser empregado em outras línguas no Mediterrâneo ocidental. Com isso, estavam consolidadas as bases para a difusão do grego e dos poemas épicos de Homero.

2

DO CAMPO PARA AS CIDADES-ESTADO

COMO A IDENTIDADE GREGA FOI MOLDADA A PARTIR DOS POEMAS ÉPICOS DE HOMERO E DA ORGANIZAÇÃO NA PÓLIS

No estudo histórico da Grécia Antiga, o Período Arcaico (entre 800 a.C. e 500 a.C.) foi a sequência do Período Homérico, em que a população grega passou a se agrupar nas chamadas comunidades gentílicas (os integrantes dessa organização social também eram conhecidos como genos), caracterizadas pela autossuficiência e pela prática da agricultura. Contudo, aos poucos, os genos deixaram de adotar o uso coletivo da terra, o principal bem da época. Desse modo, começava a surgir um grupo de proprietários de terra. Em grande parte das vezes, a classe aristocrática esteve estreitamente ligada ao líder patriarcal dessas aglomerações.

Os "eupátridas" (sinônimo de "bem-nascidos") formaram um grupo de aristocratas que passaram a trabalhar pela manutenção das próprias posses. Com isso, a comunidade gentílica começou a se agrupar em "fratrias" e tribos controladas pela nova aristocracia. Paralelamente, observa-se o aumento populacional, que originou dificuldades para o acesso às terras produtivas.

NAVEGAR É PRECISO

Uma das saídas para o crescimento no número de pessoas foi apostar na colonização e no comércio marítimo. Os excluídos no processo de controle das terras procuraram locais com condições mais adequadas. A migração desses povos marcou a chamada "Segunda Diáspora Grega", a partir de 750 a.C. Essa migração expandiu os territórios do mundo grego e criou uma rede de comércio entre as aldeias da região.

A colonização consistia em planos detalhados, com a nomeação do comandante da expedição (o "oikistes"), que seria responsável pela conquista do território e que chefiaria a colônia ("apoika" – em português, "residência distante"), como rei ou governador. Curiosamente, antes da expedição, o líder consultava o Oráculo de Apolo, na ilha de Delfos, que aprovava o local sugerido ou propunha outro. Desse modo, Apolo era associado à colonização. Muitas colônias na Ilíria, Trácia, Líbia e Palestina receberam, em honra ao deus, o nome de Apolônia. Os colonizadores levavam da cidade mãe, a metrópole, o fogo sagrado e os elementos culturais e políticos, como o alfabeto, o calendário e os cultos.

Uma das primeiras ocupações do período foi realizada em 775 a.C., iniciativa de gregos das cidades de Cálcis e Erétria que partiram para a ilha de Ischia, no golfo de Nápoles.

Na Grécia Antiga, a palavra "tirano" não possuía a conotação negativa aplicada nos dias atuais. Naquela época, o termo significava "usurpador com poder supremo". Entre os gregos, a palavra só adquiriu sentido negativo a partir do governo dos "Trinta Tiranos", em Atenas (404 a.C.), conhecidos por adotar práticas cruéis contra a população.

Busto de Periandro, tirano que governou a cidade-estado de Corinto e morreu por volta de 585 a.C.

Também estão registradas, no século VIII a.C., as fundações de colônias na Sicília: Naxos e Messina (por Cálcis) e Siracusa (por Corinto).

CONQUISTA DE COLÔNIAS

As costas do Mar Negro foram conquistadas principalmente por Mileto. As colônias mais importantes da região foram Sinope (700 a.C.) e Cízico (675 a.C.). A cidade de Bizâncio foi fundada em 667 a.C., após uma frota sair de Mégara. Na região ocidental do Mar Mediterrâneo, destacam-se as ocupações em Massália (atual Marselha) e Nice (de "Nike", que significa vitória), localizadas na França.

Uma das consequências do processo de colonização foi o desenvolvimento das relações comerciais. Até então, o comércio não era uma atividade econômica própria, mas funcionava como apoio à agricultura. A título de curiosidade, algumas cidades, os empórios, funcionavam quase exclusivamente para a prática do comércio, mas não possuíam nenhum estatuto político.

Ao lado do comércio, a indústria passou a progredir com mais intensidade. Assim, a produção de cerâmica, sobretudo os vasos de Corinto e de Atenas, transformou-se em um dos principais incentivadores das exportações. Segundo historiadores, no século VII a.C., a moeda surgiu na região de Lídia (na porção ocidental da Ásia Menor) e passou a ser usada lentamente pelo território grego.

MUDANÇAS NA ORGANIZAÇÃO SOCIAL

O poder nas mãos da aristocracia – bem como a ampliação das atividades econômicas – ofereceu as condições para a consolidação de um espaço fundamental de representação na Grécia Antiga: a cidade-estado (ou "pólis"), que representava um núcleo urbano marcado por decisões políticas e a circulação de bens.

As transformações na economia e na organização social do povo grego produziram mudanças significativas no modo de vida da população. Com a chegada crescente de produtos das colônias e por causa da importância que a exportação do vinho e do azeite adquiriu, desenvolveu-se entre as classes mais elevadas a ideia de substituir o cultivo do trigo pelo da vinha e da oliveira.

Os camponeses com poucos recursos econômicos ficavam impossibilitados de realizar a troca, pois a vinha e a oliveira necessitavam de tempo até oferecerem resultados – dessa forma, eles não teriam condições de esperar pelo lucro. Além disso, as culturas exigiam menos mão de obra, fazendo com que alguns trabalhadores ficassem desocupados. Em razão disso, tem origem no Período Arcaico a classe dos "plutocratas", nascidos frequentemente em classes inferiores, que se tornaram ricos graças ao progresso do comércio e da indústria, atividades desprezadas pela aristocracia.

A classe possuía ambições políticas, que, no período, estavam relacionadas à posse da terra. Assim, os plutocratas e os nobres, que não pretendiam ser relegados, também entraram na corrida por terras. A competição afetou sensivelmente os camponeses que possuíam poucos recursos. As condições de vida deles ficaram piores.

Em razão da instabilidade social, os conflitos ficaram mais intensos na segunda metade do século VII a.C. Por isso, as cidades-estado buscavam solucionar pacificamente os embates. As partes em disputa concordaram em nomear legisladores, homens com "reputação íntegra" para estabelecer códigos de leis e condutas em cada região. Até então, a legislação não era escrita, o que possibilitava interpretações arbitrárias em prol da aristocracia. Vale ressaltar que a demanda por um código escrito partiu das classes populares.

LEGISLADORES E TIRANOS

Todavia, a produção dos legisladores não resolveu os conflitos sociais. Assim, entre 670 a.C. e 510 a.C., quase todas as regiões gregas viveram sob o domínio de tiranos. Eles conquistaram o poder por meio da violência e receberam o apoio das classes mais baixas, que passaram a ser protegidas. Os tiranos assumiram o poder, primeiramente, nas cidades comerciais. Os primeiros tiranos conhecidos foram Ortágoras, em Sícion, e Cípselo, em Corinto. A população da cidade-estado de Atenas, no século VI a.C., foi governada pelos tiranos Pisístrato; Siracusa, por Dionísio, o "Velho", e Dionísio, o "Novo".

Em geral, os tiranos foram responsáveis pela partilha de terras, abolição das dívidas e isenção de impostos. Eles também cunharam moedas e lançaram obras públicas, que permitiriam ocupar a mão de obra excedente. Os descendentes dos governantes não mantiveram o apoio às classes populares e quase todos desapareceram antes de 500 a.C., derrotados por nobres ou pela cidade-estado de Esparta. Grande parte das tiranias foi sucedida por oligarquias ou democracias.

MITOLOGIA E ESPORTE

O bosque sagrado Áltis estava situado diante do Monte Cronos, entre as confluências dos rios Alfeu e Cladeu. Segundo a mitologia, foi neste lugar que Zeus derrotou o próprio pai, Cronos (deus do tempo e senhor do céu).

Os jogos possuíam grande importância para os gregos, já que apresentavam caráter religioso, político e esportivo. Primeiramente, era uma forma de homenagem aos deuses. Era, também, um momento importante na busca pela harmonia entre as cidades-estado. A iniciativa servia como um evento de valorização da saúde e do corpo.

Não poderiam participar dos jogos os estrangeiros, os escravos e as mulheres. Os atletas eram, de modo geral, das classes mais elevadas e praticavam o desporto desde a infância. Eles não chegavam apenas da Grécia continental, mas de vários pontos do mundo grego, que, na Antiguidade, incluía as colônias espalhadas pelas costas dos mares Mediterrâneo e Negro. Os vencedores eram homenageados nos locais de origem: poderiam receber alimentação gratuita, ter estátuas construídas e ser cantados pelos poetas.

ORGANIZADORES DOS JOGOS OLÍMPICOS

A organização do evento ficava a cargo da pólis de Élide (na Grécia ocidental). Em 668 a.C., Fédon de Argos – rei grego entre 675 a.C. e 655 a.C. – conquistou Olímpia e entregou o controle do santuário à cidade de Pisa (situada na região de Élide), que organizou os jogos até 558 a.C., ano em que Élide retomou o controle sobre Olímpia, graças à intervenção de Esparta.

No ano em que se celebravam os jogos, Élide enviava por toda a Grécia representantes que anunciavam a data exata em que as competições seriam realizadas e convidavam os atletas. Os mensageiros divulgavam a trégua sagrada. Pela regra, a guerra era proibida durante o período, pois tinha o objetivo de proteger os espectadores e competidores durante a viagem, a estadia e o regresso.

As provas eram supervisionadas por juízes, conhecidos como helanócides ("juízes dos Helenos"). Os árbitros vinham dos nobres de Élide, sendo escolhidos dez meses antes do início do festival. Os juízes deveriam garantir o bom estado dos edifícios do santuário, além de assegurar o policiamento. Eles podiam interferir nas disputas, sorteando os competidores, arbitrando as provas e proclamando os vencedores, que eram coroados. Os atletas e os treinadores chegavam a Élide com um mês de antecedência, para treinarem sob supervisão dos juízes.

As competições olímpicas de destaque durante o período eram as corridas pedestres, corridas equestres, luta, pugilismo (também denominado pugliato), pancrácio (combinação de luta e pugilismo) e pentatlo. Ao longo do tempo, novas modalidades passaram a integrar o programa, como, por exemplo, arremesso de disco, natação e salto a distância, entre outros.

EDIÇÕES DOS JOGOS

No início, as provas duravam um dia, pois só era realizada a corrida de estádio. Apenas em 708 a.C., na 17ª edição do evento, a competição passou a ter dois dias, com a introdução de duas modalidades. Nos séculos VI a.C. e V a.C., os jogos já duravam cinco dias.

No primeiro dia, os atletas e árbitros realizavam o juramento e a tocha olímpica era acesa. O fogo era sagrado e estava associado à religião grega, uma vez que quase todos os templos possuíam uma tocha acesa. Realizados a cerimônia de abertura e o juramento, os jogos começavam ainda pela manhã.

> O núcleo de Olímpia era o Áltis, um bosque sagrado. No centro do local, existia um templo em estilo dórico dedicado a Zeus, que foi construído entre 468 a.C. e 456 a.C. No interior, havia uma estátua gigante do deus, da autoria de Fídias, e que era considerada uma das Sete Maravilhas do Mundo Antigo.

Discóbolo, estátua de mármore do escultor grego Míron, representando um arremessador de disco durante prova olímpica

Na noite do segundo dia, ocorriam as primeiras celebrações aos vitoriosos, com um banquete e uma cerimônia. No dia seguinte, pela manhã, era realizado o tradicional sacrifício de 100 touros diante do altar de Zeus, contando com a presença de todos. Os animais sacrificados teriam partes destacadas como oferendas. O restante seria preparado para um banquete, à noite.

No quarto dia, as últimas provas eram finalizadas. No quinto dia, todos os vencedores recebiam as coroas de louro e as fitas vermelhas no templo de Zeus. Em seguida, começavam os festejos para celebrar os campeões e o encerramento dos jogos. No dia seguinte, as delegações e os visitantes iniciavam a viagem de volta.

O período grandioso dos Jogos Olímpicos da Grécia Antiga correspondeu ao século V a.C. As tensões referentes à Guerra do Peloponeso impactaram negativamente nos jogos, pois a cidade-estado de Élide (que, até então, mantinha uma atitude politicamente neutra), aliou-se a Atenas e baniu os espartanos.

ATLETAS PROTEGIDOS

Em 424 a.C., por exemplo, sob a ameaça de invasão de Esparta, os jogos tiveram que ser realizados sob proteção de tropas. Em 365 a.C., a Arcádia, ajudada por Pisa (inimiga de Élide), conquistou o santuário; as duas cidades organizaram os jogos de 364 a.C. Élide tentou recuperar o santuário recorrendo à força; o conflito gerado levou ao assalto à pilhagem dos templos do Áltis. Élide retomou o controle do santuário e os jogos de 364 a.C. foram considerados inválidos.

No ano de 336 a.C., várias cidades gregas foram dominadas por Filipe II, da Macedônia, e pelo filho dele, Alexandre Magno. Com isso, os controladores do território construíram, no bosque Áltis, o monumento chamado "Filipéion", edifício com estátuas de Alexandre e da família, feitas de ouro e marfim, materiais que tinham sido reservados às esculturas dos deuses.

Os romanos conquistaram a Grécia em 146 a.C. Para financiar guerras, o general romano Sula saqueou o bosque Áltis (além do santuário de Delfos, na região de Cíclades). Em 80 a.C., como forma de celebrar o sucesso das batalhas, o comandante transferiu os jogos para Roma. Depois da morte do general, em 78 a.C., os jogos regressaram a Olímpia.

POLÊMICAS EM RELAÇÃO A HOMERO

O período de existência de Homero também foi tema de controvérsia na Antiguidade. O historiador e geógrafo grego Heródoto disse que Homero viveu 400 anos antes de seu próprio tempo, o que o colocaria em torno do ano 850 a.C. Contudo, outras fontes antigas fornecem datas mais próximas da época da Guerra de Troia, cuja referência remete ao período entre 1194 a.C. e 1184 a.C., em relatos de Eratóstenes (matemático e poeta grego do século II a.C.), que trabalhou para estabelecer uma cronologia científica dos eventos.

Além das duas grandes produções de Homero, são atribuídas a ele as publicações "Margites" (poema cômico a respeito de um herói trapalhão), "Batracomiomaquia", paródia de Ilíada que relata uma guerra incrível entre rãs e ratos, e os chamados Hinos Homéricos.

Antes do início do pensamento filosófico, que chegaria ao auge na Grécia Antiga com Sócrates e Platão, as obras de destaque de Homero tendem a aproximar os deuses dos homens, em um movimento de racionalização do divino, segundo especialistas. Os deuses homéricos, que viviam no Monte Olimpo, possuíam uma série de características que se assemelhavam aos seres humanos.

REVERÊNCIA AOS POEMAS HOMÉRICOS

Da mesma forma que no nascimento, sabe-se pouco a respeito da morte do poeta. De acordo com documentos históricos do século V a.C., Homero teria morrido na ilha grega de Ios, no Mar Egeu, por volta de 898 a.C.

Independentemente das diversas dúvidas que envolvem a vida e a obra de Homero, a poesia construída por ele foi muito reverenciada durante toda a Antiguidade, com versos considerados fonte geral de sabedoria. Quase toda a literatura ocidental foi influenciada em vários níveis e graus pelos poemas homéricos, por meio do trabalho de incontáveis escritores.

AS BATALHAS DE TROIA

A batalha de Troia, situada em uma província da Turquia, ocorreu por volta de 1200 a.C., quando os aqueus (um dos grupos formadores do povo grego) atacaram a cidade, tentando se vingar do rapto de Helena, esposa do rei de Esparta Menelau, irmão de Agamenon.

Segundo a lenda, a deusa do mar, a ninfa Tétis, era desejada como esposa pelos irmãos Zeus e Poseidon. No entanto, o titã Prometeu (que tinha o dom da profecia) profetizou que o filho da deusa seria maior do que o pai. Assim, os deuses resolveram oferecer Tétis como esposa a Peleu, um mortal já idoso, planejando enfraquecer o filho, que seria humano, com limitações: nasceu dessa união o guerreiro Aquiles, cuja mãe, tentando fortalecer o filho, mergulhou-o nas águas de um rio.

As águas tornaram Aquiles um ser poderoso, exceto no calcanhar, por onde a mãe o segurou para mergulhá-lo no rio. Desse modo, Aquiles tornou-se o mais poderoso dos guerreiros, porém ainda era mortal. Mais tarde, Tétis profetizou que Aquiles poderia escolher entre dois destinos: lutar em Troia e alcançar a glória eterna, mas morrer jovem, ou permanecer na terra natal e ter uma longa vida, sendo esquecido rapidamente.

O POMO DA DISCÓRDIA

Para o casamento de Peleu e Tétis, todos os deuses foram convidados, menos Éris, deusa da discórdia, que se sentiu ofendida, compareceu invisível à celebração e deixou à mesa um pomo (tipo de fruto) de ouro com a inscrição "para a mais bela". As deusas Hera, Atena e Afrodite disputaram o pomo e o título de mais bela. Zeus, então, ordenou que o príncipe troiano Páris (à época, sendo criado como um pastor) resolvesse a disputa.

Para ganhar o título de "mais bela", Atena ofereceu a Páris a chefia de uma guerra histórica. Hera (deusa do casamento) apresentou ao monarca a glória de ser o rei absoluto. Já Afrodite (deusa do amor) permitiria a ele o amor da mulher mais bela do mundo. Páris deu o pomo a Afrodite, ganhando proteção, mas atraindo o ódio das outras duas deusas contra Troia. Afrodite sabia exatamente quem era a mulher mais bela do mundo: Helena.

Auxiliado por Afrodite, o casal fugiu para Troia. Quando soube da traição, Menelau pediu auxílio ao irmão, o rei Agamenon, para convencer todos os grandes generais e reis da Grécia em uma batalha contra os troianos – incluindo o soberano da província de Ítaca, Odisseu (em latim, Ulisses), arquiteto do plano com o Cavalo de Troia.

A CONQUISTA DA CIDADE

Agamenon viu no infortúnio do irmão a oportunidade perfeita para conquistar Troia, até então conhecida como impenetrável. Começava, a partir desse momento, a conhecida guerra.

Os navios gregos desembarcaram na praia próxima à cidade e iniciaram um cerco que duraria dez anos, custando a vida de muitos guerreiros, de ambos os lados. Assim, seguindo uma armadilha proposta por Odisseu, os gregos conseguiram invadir a cidade governada por Príamo e terminar a guerra.

AVENTURAS DE ODISSEU

O poema – com 24 cantos e 12 mil versos – relata o regresso de Odisseu (Ulisses, como era chamado no mito romano), herói da Guerra de Troia e protagonista que dá nome à obra. De acordo com o enredo, ele levou dez anos para chegar à terra natal, Ítaca, depois das batalhas, que também se prolongaram durante uma década.

Diversos participantes da guerra haviam retornado para a Grécia, mas Odisseu foi retido por uma tormenta no mar, que desviou o rumo do comandante. Enquanto isso, a esposa dele, Penélope, era cortejada por vários pretendentes. Segundo a tradição, como se acreditava que Odisseu estava morto, a viúva deveria escolher outro marido. A disputa teve início.

Com uma estratégia ousada, Penélope enganou os candidatos. Ela propôs a eles que escolheria um pretendente assim que terminasse de tecer uma mortalha (veste que envolve o morto, que será sepultado). Ela borda durante o dia, mas desfaz a peça à noite. Com o passar do tempo, os candidatos arruínam os bens de Odisseu.

A VOLTA PARA CASA

Atena, a deusa da sabedoria, oculta no corpo de um forasteiro, incentiva o filho do casal, Telêmaco, a procurar o pai. Depois de vencer várias dificuldades, ele inicia a busca, enquanto Odisseu vive diversas aventuras, passando também pelo país dos mortos. O protagonista retornou para casa, com a ajuda de alguns deuses, mas não se revelou prontamente. Para derrotar os adversários, ele se disfarçou de mendigo, seguindo os conselhos de Atena. Odisseu eliminava os inimigos porque portava um arco poderoso. Com o auxílio do filho, foi finalmente reconhecido pela esposa e pelo pai. A ilha de Ítaca estava em paz novamente, com a Odisseia concluída.

PÓLIS ATENIENSE

A cidade de Atenas localiza-se no centro da planície Ática, às margens do Mar Egeu. Na época clássica, apresentava uma vida urbana e aberta às novidades. A base da economia foi a atividade comercial, a partir das trocas de produtos com povos de diversos territórios.

A sociedade ateniense era dominada pelos "eupátridas", grandes proprietários de terras. Todavia, o poder desse grupo era desafiado pelas camadas mais baixas e pelos comerciantes, que exigiam maior igualdade de direitos. Os pequenos proprietários de terras viviam constantemente ameaçados pela escravidão por dívidas. Já os comerciantes, artesãos e assalariados urbanos, conhecidos como "demiurgos", estavam excluídos das decisões políticas e queriam participar delas.

O resultado dessas pressões foi uma reforma legislativa feita por Sólon, um juiz ateniense. A partir dessas alterações, a escravidão por dívidas deixou de existir e foi ampliado o direito de voto, de acordo com os bens que cada um possuía.

Porém, as reformas de Sólon só beneficiaram os comerciantes ricos. O resto da população continuou excluída das decisões políticas. A situação em Atenas era tensa. Além disso, a cidade foi dominada pelo tirano Pisístrato por mais de três décadas.

Após o período de governos tirânicos, o responsável por uma nova reforma foi Clístenes, um aristocrata preocupado com os problemas das camadas populares. Ele ampliou o direito de decisão política para todos os cidadãos atenienses – ou seja, todos os homens livres e nascidos em Atenas, maiores de 18 anos. A cidade foi dividida em "demos", uma espécie de distrito que elegia os representantes para a assembleia, que, por sua vez, escolhia os integrantes do conselho, responsável pelo governo da pólis. Contudo, os estrangeiros, as mulheres e os escravos continuavam excluídos.

Quanto à educação, os atenienses acreditavam que a cidade-estado seria mais forte se cada menino desenvolvesse integralmente as melhores aptidões. O ensino não era gratuito nem obrigatório. Os garotos já iam para a escola aos 6 anos e ficavam sob a supervisão de um pedagogo, com quem aprendiam aritmética, literatura, música, escrita e educação física. As aulas eram interrompidas nos dias de festas religiosas e quando os alunos completavam 18 anos.

A partir de então, os rapazes eram recrutados pelo governo para o treinamento militar, que durava aproximadamente dois anos. As mulheres atenienses cumpriam funções domésticas. Os pais tratavam de casar rapidamente as adolescentes, que, após as núpcias, ficavam sob o domínio dos maridos.

A CIDADE-ESTADO DE ESPARTA

A pólis espartana foi fundada pelos dórios por volta do século IX a.C. A cidade estava situada em uma região chamada Lacônia, na Península do Peloponeso, que apresentava solo montanhoso e seco, o que dificultava o abastecimento. Tais condições levaram os espartanos a conquistar terras férteis por meio de guerras. O poder era exercido por um pequeno grupo ligado às atividades militares. Uma minoria participava das decisões políticas e administrativas, conhecidos como "esparciatas", que se dedicavam única e exclusivamente à política e às batalhas.

A vida em Esparta girava em torno da guerra. Os habitantes do local temiam que os povos conquistados por eles se rebelassem, bem como ficavam preocupados com revoltas de escravos. Os governantes proibiam as viagens e grande parte dos contatos comerciais. Dessa maneira, Esparta fechava-se e impunha aos moradores um modo de vida autoritário e de subordinação aos interesses do Estado.

A agricultura, o artesanato e o comércio eram praticados pelos chamados "periecos", homens livres, mas que não tinham o direito de participar dos aspectos políticos. Os escravos eram chamados de "hilotas", pertenciam ao Estado e trabalhavam para os esparciatas. Os jovens eram educados pelo Estado. Eles, desde os sete anos, deixavam as próprias casas e passavam a se dedicar ao treinamento militar.

A CIDADE DE CORINTO

Na Grécia Antiga, a pólis de Corinto era um rico centro comercial e abrigava uma população cosmopolita, graças ao seu porto, localizado a menos de 50 quilômetros de Atenas. Os moradores do local realizavam um comércio lucrativo com a Ásia, além de estabelecerem um ponto de comunicação com cidades da Península Itálica.

O local da antiga cidade já era habitado no Período Neolítico (5000 a.C. a 3000 a.C.) e floresceu como um centro importante no século VIII a.C., continuando com tal característica até a destruição pelos romanos, em 146 a.C. A pólis era conhecida como potência naval, o que permitiu à antiga Corinto estabelecer colônias em Siracusa, (na ilha da Sicília) e em Corcyra (atual Corfu, próximo à Albânia). As colônias serviam como entrepostos comerciais para as peças ornamentais de bronze, produtos têxteis e cerâmica produzidos na metrópole.

A partir de 582 a.C., Corinto passou a abrigar os Jogos Ístmicos, celebrados em honra a Poseidon, o deus do mar. O templo dórico de Apolo, um dos principais marcos da cidade, foi construído em 550 a.C., no auge da riqueza da cidade. A antiga pólis foi parcialmente destruída pelos romanos em 146 a.C. Porém, em 44 a.C., foi reconstruída como uma cidade do Império Romano. A nova Corinto prosperou e estima-se que tinha cerca de 800 mil habitantes na época do apóstolo Paulo. Foi a capital da Grécia romana, habitada principalmente por homens livres e judeus.

O GRANDE CAVALO DE TROIA

O Cavalo de Troia foi um grande artefato de madeira usado pelos gregos durante as batalhas para a conquista da cidade fortificada, em que as ruínas estão em terras turcas. Tomado pelos troianos como um símbolo de vitória, foi carregado para dentro das muralhas sem os guerreiros de Troia saberem que os inimigos estavam no interior da estrutura.

À noite, os guerreiros saíram do cavalo, dominaram os vigias e possibilitaram a entrada do exército grego, o que levou a cidade à ruína. Nos poemas de Homero, o fato é registrado brevemente apenas em "Odisseia". Nos séculos seguintes, outros escritores ampliaram e detalharam o episódio.

Em geral, considera-se o cavalo como uma criação lendária, mas é possível que tenha realmente existido. Ele se revelou um fértil motivo literário e artístico, sendo, desde a Antiguidade, citado e reproduzido várias vezes em poemas, romances, pinturas, esculturas, monumentos, filmes, caricaturas e brinquedos.

Réplica de um Cavalo de Troia na praça central de Canakkale, na Turquia, doado à cidade após a filmagem de um longa-metragem

3

OS GREGOS E AS GUERRAS

COMO AS CIDADES-ESTADO DA GRÉCIA ANTIGA ENFRENTARAM, NAS QUESTÕES POLÍTICA E MILITAR, AS AMEAÇAS EXTERNAS E INTERNAS

O Período Clássico da Grécia Antiga (entre 500 a.C. e 338 a.C.) compreende uma época relativamente curta, porém marcada por acontecimentos de grande importância e que ecoaram nos séculos seguintes na região mediterrânica. Especialistas avaliam, inclusive, que tal intervalo representou o auge da civilização grega.

Uma das principais características do Período Arcaico, antecessor do Clássico, é a ascensão das cidades-estado, a partir de um modelo consolidado de descentralização política e independência administrativa. Isso significava que cada região determinava a própria trajetória, com governantes que poderiam assumir decisões variadas. A título de exemplo, Esparta contava com uma oligarquia voltada principalmente às preocupações militares. Por outro lado, os atenienses verificavam a evolução da democracia, por meio da ação da aristocracia local.

A força das cidades-estado continuou a crescer, porém em meio a batalhas entre os próprios governantes que também tiveram a participação de outros povos. Diversos confrontos ocorreram em território grego, com destaque para duas delas: as guerras Médicas (também conhecidas como Guerras Greco-Persas ou Guerras Medas) e a Guerra do Peloponeso.

A TENSÃO ENTRE PERSAS E GREGOS

Se no ambiente interno o clima era tenso, em razão das diferenças entre as cidades-estado gregas, o cenário externo apresentava a ascensão do Império Persa, sobretudo após Ciro II conquistar o reino dos medos – povo que migrou da Ásia Central para o Planalto Iraniano, posteriormente conhecido como Média. O monarca governou entre 559 a.C. e 530 a.C., ano no qual morreu em batalha.

O centro do império era a Pérsia e se estendia do Egito ao Paquistão. Quando os persas invadiram a Ásia Menor (atual Turquia), o passo seguinte foi ocupar a Europa para controlar a Grécia. A administração persa continuou com uma política de expansão e ocupou as cidades gregas da costa da Ásia Menor, impondo derrotas aos jônios (um dos grupos que formavam a população grega). O que estava em jogo era o controle do comércio marítimo na região. Vale ressaltar que a maior parte das cidades-estado do norte da península grega se entregou sem resistência. Cada indivíduo dos povos submetidos pelo Império Persa era considerado um "bandaka" (escravo do monarca).

Atenas e Erétria apoiaram a revolta das cidades gregas contra o domínio dos persas, mas o auxílio foi insuficiente. Exemplo disso é a aldeia de Mileto, que foi tomada e arrasada. Desse modo, muitos jônios decidiram fugir para as colônias ocidentais. O comportamento de Atenas geraria uma reação persa e foi um dos fatores que desencadeou as Guerras Médicas, registradas entre 490 a.C. e 479 a.C.

As batalhas tiveram início após a Ática – região continental grega, que inclui a cidade de Atenas – ser ocupada pelas forças do imperador persa Dario I, que já tinham passado e destruído Erétria. O encontro entre atenienses e persas ocorreu na cidade de Maratona, a cerca de 40 quilômetros de Atenas. Segundo historiadores, o monarca comandou em torno de 50 mil homens e, com uma marinha poderosa, desembarcou na planície para reprimir os atenienses pelo auxílio dado durante a rebelião dos jônios.

O general ateniense Milcíades enviou um pedido de ajuda aos espartanos. No entanto, eles responderam que só poderiam enviar as tropas em uma semana, tendo em vista que estavam em meio a celebrações religiosas. Apesar da negativa, o militar conhecia as táticas de batalha persas e decidiu deslocar as tropas para Maratona, com a finalidade de enfrentar os invasores.

BATALHA DE MARATONA

De acordo com os registros históricos, a Batalha de Maratona ocorreu em setembro de 490 a.C. Cerca de 10 mil combatentes gregos (que contaram com a ajuda dos moradores de uma pequena cidade chamada Plateia), começaram o ataque contra os persas e procuravam o confronto corpo a corpo. Eles cercaram a tropa adversária e se projetaram contra os soldados de Dario I. Os persas ofereceram resistência e conseguiram romper o cerco grego, que logo se reagrupou e venceu o conflito. As tropas derrotadas retornaram para a Ásia. Projeta-se que as baixas da Pérsia tenham chegado a 6 mil. Do lado grego, o número estimado é de cerca de 200 mortes.

Esse foi o primeiro grande confronto entre os dois povos. Novos embates ocorreriam e seriam determinantes para definir a trajetória de ambas as populações na região do Mar Egeu, na sequência das Guerras Médicas.

Heródoto relata que Fidípedes era um "hemeródromo", nome que recebiam os correios oficiais que eram capazes de percorrer, a passo rápido, largas distâncias diariamente. Atleta vigoroso e soldado, o corredor profissional exerceu atividades como mensageiro do exército. Com a aproximação do exército persa, antes da batalha de Maratona, os atenienses o mandaram até Esparta para buscar ajuda, percorrendo uma distância superior a 200 quilômetros.

Heródoto relata que, durante a viagem para Esparta, o deus mitológico Pã (dos rebanhos e dos pastores) apareceu a Fidípedes em um monte perto da cidade de Tégea, na Península do Peloponeso. Pã teria chamado o mensageiro em voz alta e ordenado a ele a perguntar aos atenienses o motivo por que não era cultuado. O atleta disse que os habitantes de Atenas ficariam imensamente gratos se o deus os ajudasse contra os persas. Ainda de acordo com a literatura grega, Pã ficou do lado dos atenienses na Batalha de Maratona. Em agradecimento, um local de culto foi criado para o deus, próximo à aldeia de Tégea.

Marca de 40 quilômetros (distância aproximada até Atenas) localizada na cidade de Maratona, na Grécia

> **VOCÊ SABIA?**
>
> A origem da prova de atletismo conhecida como "Maratona" faz referência à batalha vencida pelos gregos contra os persas. Segundo a literatura grega, com referências, inclusive, ao geógrafo e historiador Heródoto, um corredor lendário e ateniense chamado Fidípedes teria feito o trajeto de Maratona a Atenas para informar aos moradores de Atenas a respeito da vitória sobre as forças de Dario I, correndo o trecho que corresponde à modalidade integrante do programa dos Jogos Olímpicos.

Conta-se que, após a vitória e expulsão dos invasores, entusiasmado com a proeza, o general Milcíades ordenou que Fidípedes fosse correndo, mais uma vez, até Atenas, de modo a informar aos gregos que os confrontos tinham terminado. Logo após ter anunciado a vitória, o mensageiro teria morrido, por causa da exaustão.

AS GUERRAS MÉDICAS CONTINUAM

Comandante das tropas gregas em Maratona, o general Milcíades aproveitou o momento de glória para expandir o poder de Atenas no Mar Egeu. Assim, logo depois da batalha na Grécia continental, o militar enviou uma parte da frota para lutar no arquipélago da região das Cíclades, que estava submetida ao poder dos persas.

O primeiro movimento foi um ataque à ilha de Paros, em que os atenienses exigiram aos habitantes do local uma soma elevada de tributos. Os moradores de Paros negaram o pagamento e a região foi ocupada. A resistência foi grande e a única saída dos gregos foi realizar saques. Após a decisão, os moradores de Atenas começaram a ficar desiludidos em relação a Milcíades, chegando a ver o general como um tirano que depreciava as leis.

Os inimigos políticos do comandante o acusaram de ter enganado o povo e o submeteram a um processo, no qual foi declarado culpado. Ele foi salvo da pena de morte, que era um procedimento comum, por conta dos serviços prestados à pátria. Porém, o militar foi condenado a pagar uma multa elevada. Pouco depois, o general morreu em razão de feridas em uma batalha. O comando político de Atenas ficaria a cargo de Temístocles, que também apresentava habilidades militares de general e tinha grande poder de convencimento sobre os moradores da cidade.

Em 481 a.C., os representantes de várias pólis gregas, liderados por Atenas e Esparta, firmaram um acordo militar para se protegerem de um provável ataque do Império Persa. Segundo o pacto, em caso de invasão, corresponderia a Esparta a incumbência de comandar o exército helênico, em uma trégua geral, o que, inclusive, facilitou o retorno de exilados políticos.

O SUCESSOR DE DARIO I

Paralelamente, na Pérsia, após a morte de Dario I, o filho dele, Xerxes I, subiu ao poder. O monarca decidiu, nos primeiros anos do reinado, reprimir revoltas no Egito e na Babilônia, mas ainda continuava a se preparar para atacar os gregos. Antes, o imperador enviou embaixadores às cidades da Grécia para pedir terra e água aos governantes, símbolos de submissão. Muitos municípios e ilhas aceitaram. No entanto, Atenas e Esparta decidiram resistir, bem como outras regiões gregas. Seria o início de mais uma investida persa, no episódio conhecido como Segunda Guerra Médica.

O exército de Xerxes I, estimado em até 70 mil homens, partiu para a invasão ao território grego em 480 a.C. As tropas marcharam e entraram na Península Balcânica. Os combatentes gregos, que conheciam os movimentos adversários, decidiram detê-los no desfiladeiro conhecido como Termópilas (em grego, "portas quentes"), na porção continental, a noroeste de Atenas.

Nesse local, o rei espartano Leônidas – que comandava as forças gregas – mobilizou 300 soldados de Esparta e aproximadamente mil de outras regiões, com o intuito de conter as forças persas, que enviaram um aviso em que exigiam a rendição da reduzida tropa helênica. Após cinco dias de espera e ao considerar que a superioridade numérica não intimidava o inimigo, os persas decidiram atacar.

Segundo os historiadores, o desfiladeiro era tão estreito que os militares de Xerxes I não podiam usar a cavalaria. Além disso, a superioridade numérica da tropa estava bloqueada, pois a faixa estreita de terra fazia com que os persas tivessem que reduzir a quantidade de combatentes. Coube o recuo ao império asiático, após dois dias de confrontos.

Contudo, os comandados por Leônidas foram traídos pelo grego Efíaltes de Mális, que ajudou o rei persa a encontrar um caminho alternativo e surpreender os adversários pela retaguarda. Com isso, foi possível eliminar completamente o pequeno grupo de defenso-

Vista panorâmica da ilha grega de Paros, região ocupada pelas tropas de Atenas durante as Guerras Médicas

res espartanos. Após o confronto, a marinha grega recebeu a notícia da derrota em Termópilas. Depois disso, o exército decidiu se retirar para o sul do território, enquanto os persas ampliavam as conquistas.

O tempo que o governante persa ficou atento somente à região de Termópilas possibilitou o esvaziamento total de Atenas, que, na sequência, seria saqueada e incendiada pelos homens de Xerxes, como represália por ser a grande responsável pelo desfecho da Primeira Guerra Médica. Os atenienses seguiram para a ilha de Salamina, próximo a Atenas.

CONSTRUÇÃO DA MURALHA DE MADEIRA

De acordo com a literatura grega, ao consultar o oráculo de Delfos (dedicado a Apolo, ao qual os gregos se dirigiam para fazer perguntas aos deuses), Temístocles escutou o seguinte conselho: "Protejam-se com uma muralha de madeira". Apesar de Atenas já estar resguardada por muros, a recomendação era de que o povo helênico deveria procurar o combate naval e ficar atrás do "muro de madeira", que representava a frota naval.

Convém lembrar que, desde meados da década de 480 a.C., os atenienses começaram a se preparar para uma guerra contra a Pérsia. Em 482 a.C. uma decisão foi tomada na cidade, sob a orientação de Temístocles, de construir uma frota gigante de trirremes, embar-

Tumba do imperador persa Xerxes I, localizada no sítio arqueológico de Naqsh-i Rustam, no Irã, onde vários monarcas do antigo império eram sepultados

cações essenciais para que a Grécia enfrentasse os persas, mesmo com a resistência de integrantes da assembleia pública ateniense.

Após a vitória persa em Termópilas e a devastação da Ática, na Grécia continental, o rei Xerxes I entrou em Atenas, destruindo também os monumentos da Acrópole, que já abrigava algumas das mais famosas edificações do mundo antigo. O monarca marchou sobre Atenas, mas não encontrou resistência. A visão da cidade destruída ofereceu aos gregos a certeza de que existiam poucas chances para manter a liberdade na Grécia e evitar a submissão aos asiáticos.

Enquanto isso, Temístocles permanecia fiel ao plano de atrair a frota persa e forçar o combate marítimo. Conta a tradição que o general se fez passar por traidor diante do soberano persa, induzindo-o a pensar que obteria uma vitória relativamente tranquila na ilha de Salamina, em setembro de 480 a.C.

Os espartanos e coríntios defendiam uma aglomeração militar no istmo (faixa estreita de terra que liga uma península a um continente), mas o comandante ateniense concentrou a frota de cerca de 200 embarcações na baía de Salamina. Conforme o planejado por Temístocles, o monarca persa decidiu travar um combate naval. Xerxes I autorizou o uso de um número considerável de barcos. A frota asiática – estimada em 700 navios – não tinha coordenação ao atacar, enquanto os gregos ocupariam as alas, envolveriam as embarcações adversárias e empurrariam umas contra as outras, de modo a limitar os movimentos delas.

De acordo com relatos históricos, a estratégia resultou em um desentendimento entre os membros da frota persa. Como resultado, os barcos se chocavam – muitos deles naufragaram. Com a chegada da noite, o combate chegou ao fim, após 12 horas de confrontos. A tropa asiática se retirou, sob os olhares do soberano Xerxes, que presenciou, do alto de um morro, a Batalha de Salamina.

Na avaliação de historiadores, a resistência grega contra os persas representou um episódio determinante para a história do continente europeu. Essa análise está baseada no fato de que, no caso de uma capitulação da Grécia, provavelmente não haveria mais barreiras para as tropas persas, que expandiriam o império pelo Velho Continente. Se as tropas de Xerxes I obtivessem resultado positivo, um dos cenários prováveis era de que a cultura grega e o Império Romano fossem suplantados, modificando sensivelmente a história dos povos ocidentais.

A PERSEGUIÇÃO AOS PERSAS

Após a retirada dos persas da ilha de Salamina, o general Temístocles pretendia levar a guerra à Ásia Menor. Por isso, ele enviou uma frota para a região e promoveu a insurreição das colônias jônicas contra o rei da Pérsia. Todavia, o governo de Esparta se opôs, pelo temor de deixar desprotegida a Península do Peloponeso.

Assim, a guerra continuou na Europa, já que o exército persa voltou a invadir a Ática em 479 a.C. O general Mardônio, da Pérsia, ofereceu a liberdade aos gregos que não se rebelassem. O clima era tão tenso que Licidas, o único membro do conselho de Atenas que votou pela submissão, foi apedrejado até a morte pelos companheiros. O conflito fez os atenienses buscarem refúgio novamente em Salamina, pois a cidade foi incendiada pela segunda vez.

Ao saber que o exército espartano marchava para ajudar Atenas, os persas se retiraram até o oeste, em Plateias. Os espartanos, conhecidos pelas excelentes estratégias militares, conseguiram outra vitória sobre os persas. Segundo historiadores, provavelmente no mesmo dia da vitória em Plateia, foi registrado o triunfo grego na batalha naval de Mícale, na atual Turquia, o que também foi um sinal para a luta dos jônios contra a administração persa. As tropas asiáticas, então, se retiraram da região – esse foi o fim das intenções de Xerxes I de conquistar a Grécia. Tais episódios marcaram o encerramento das Guerras Médicas, fundamentais para consolidar a influência do povo grego no Mar Mediterrâneo.

TRIRREME, O DIFERENCIAL GREGO NAS ÁGUAS

A trirreme era uma embarcação de guerra utilizada na Antiguidade pelos gregos e movida a remos. Pesquisadores divergem a respeito da origem do navio, que recebeu esse nome porque os remadores ficavam em três pavimentos, o que permitia a concentração de mais homens em um espaço menor. O historiador grego Tucídides, por exemplo, relata o uso desde o século VIII a.C.

O uso das trirremes era fundamental na Grécia Antiga, uma vez que a península era rodeada por cerca de 3 mil ilhas. As embarcações formavam a maior parte das marinhas do Mediterrâneo a partir de 500 a.C. O navio de escravos a remo impulsionou as cidades-estado gregas clássicas como potências navais – Atenas, em particular, que, durante as guerras contra a Pérsia, chegou a administrar 200 barcos do tipo.

Os gregos construíram as trirremes para serem velozes e de grande mobilidade, tornando-as muito mais fáceis de manobrar do que as galés (ou galeras) do Império Persa, bastante usadas em guerras. Os navios cobriam mais de 300 quilômetros a uma velocidade constante de 13 km/h.

O barco padrão tinha 36 metros de comprimento e tripulação de 150 remadores, cuja primeira linha ficava a apenas 45 centímetros da linha d'água. O projeto foi essencial em alguns confrontos, por exemplo, na ilha de Salamina, na qual os persas foram encurralados em uma batalha naval, em 480 a.C.

Representação da trirreme, embarcação fundamental na vitória dos gregos sobre os persas na Batalha de Salamina, em 480 a.C.

A GRÉCIA SE CONCENTRA NOS CONFLITOS INTERNOS

Entre 500 a.C. e 400 a.C., o território grego foi palco de batalhas intensas e decisivas, mesmo após o fim de uma das principais ameaças: a invasão do Império Persa. O clima de tensão entre as cidades-estado da região ficou menor durante as Guerras Médicas, já que elas precisaram, por vezes, se unir contra um inimigo externo. No entanto, as diferenças entre os governos de cada pólis voltaram à tona com mais vigor após 480 a.C., com a retomada de alianças e a tentativa de ampliação de influências nas aldeias.

Em linhas gerais, a Grécia Antiga, no Período Clássico, apresentava Esparta e Atenas como principais administrações. Assim, seria natural que ambas disputassem espaço para a realização de conquistas políticas, econômicas e territoriais. Depois das Guerras Médicas, os moradores de Atenas presenciaram o período áureo da cidade, com a democracia consolidada e a economia em excelente fase. Por isso, cada vez mais, os atenienses aumentaram o poder exercido sobre a região, passando, inclusive, a cobrar impostos.

Atenas se expandia e controlava o comércio marítimo com uma frota naval poderosa, desfrutando de uma situação financeira favorável, sobretudo, com a formação da Confederação de Delos (liga militar organizada pela cidade durante os conflitos contra as tropas persas). Por outro lado, os espartanos já exerciam grande influência na Península do Peloponeso, principalmente após a dominação da cidade-estado de Argos, desde 546 a.C. Dessa maneira, Esparta, comandada por uma aristocracia que não implantou a democracia ateniense, encabeçava a aliança militar denominada Liga do Peloponeso. Em caso de necessidade, os aliados das duas principais cidades-estado seriam acionados para as batalhas.

AS CONDIÇÕES PARA A GUERRA DO PELOPONESO

As relações entre Atenas e Esparta eram tensas, ainda que formalmente amigáveis durante as Guerras Médicas, mas ficaram piores a partir de 450 a.C., com lutas frequentes pela disputa da hegemonia na Grécia e tréguas esporádicas.

Segundo o historiador grego Tucídides, o poderio e a riqueza inigualável de Atenas alarmavam os espartanos. A possibilidade de uma guerra era tão considerada que Péricles, um dos principais governantes atenienses da história, decidiu acumular reservas financeiras para suportar um conflito em larga escala.

A situação tensa entre os aliados atenienses e espartanos levou a confrontos a partir de 431 a.C. Na ocasião, a aldeia de Corfu (também chamada Córcira, na porção ocidental da Grécia) desejava firmar aliança com Atenas, pois o acordo ofereceria a possibilidade de dominar o comércio com o Ocidente. Entretanto, o local era colonizado pela cidade-estado de Corinto, aliada de Esparta na Liga do Peloponeso. Assim, Corinto interferiu nas negociações por causa da disputa comercial, tornando a situação cada vez mais favorável à eclosão de um confronto.

De acordo com registros históricos, o estopim para o início da Guerra do Peloponeso foi a publicação do Decreto Mégaro (nome oriundo da cidade de Mégara, aliada de Esparta), pelo ateniense Péricles, uma espécie de embargo comercial. Segundo o texto publicado, os comerciantes de Mégara (que ficava entre Corinto e Atenas) estariam banidos do mercado ateniense e das colônias. Essa medida sufocou a economia da aldeia e desgastou a paz frágil entre as Ligas de Delos e do Peloponeso. As cidades de Mégara, Tebas, Esparta e Corinto aliaram-se contra Atenas e os demais integrantes da Liga de Delos. Em 431 a.C., as forças de Tebas, na Grécia central, atacaram Plateia, antiga aliada de Atenas, no começo dos embates militares entre as duas confederações.

Tais confrontos, em geral, são divididos em três períodos. Na primeira parte, entre 431 a.C. e 421 a.C., os envolvidos realizavam tentativas de destruir as cidades adversárias, porém não atingiam resultados satisfatórios. Uma exceção foi o episódio que envolveu diretamente os líderes das ligas. Esparta e os aliados invadiram a Ática (região em que se situa Atenas) em 431 a.C. O administrador ateniense Péricles, ciente da superioridade do exército terrestre espartano, convenceu os conterrâneos a refugiar a população dentro das muralhas que ligavam Atenas ao porto de Pireu. O objetivo era evitar uma batalha em terra.

O governante confiava na frota de trirremes para proteger as colônias e as rotas comerciais, além de suprir a população. Contudo, os moradores foram surpreendidos pela deflagração de uma epidemia em 430 a.C., conhecida como "Peste do Egito" ou "Peste de Atenas", que matou aproximadamente um terço da população. Nem mesmo Péricles resistiu à doença.

OS GREGOS E AS GUERRAS

Antiga fortaleza de Corinto, na região da Península do Peloponeso

Com tal situação, começaram a surgir revoltas contra a hegemonia de Atenas na região, como, por exemplo, na ilha de Lesbos. Embora as condições fossem desfavoráveis para os atenienses, a frota naval conseguiu manter boa performance. Desse modo, em 423 a.C., foi estabelecida uma trégua de um ano. Em 422 a.C., a guerra estava equilibrada e as cidades envolvidas demonstravam sinais de desgaste. O primeiro período da Guerra do Peloponeso foi encerrado em 421 a.C., por meio do Tratado de Nícias (militar ateniense), que garantiria a paz durante 50 anos. Nesse contexto, os aliados de Atenas procuraram se libertar das condições impostas, o que ameaçava o sistema democrático, baseado na cobrança de tributos.

GUERRA DO PELOPONESO: 2ª FASE

A trégua firmada em 421 a.C. (que deveria durar cinco décadas) durou apenas seis anos. Assim, o segundo período da Guerra do Peloponeso foi registrado de 415 a.C. a 413 a.C. O general e político ateniense Alcibíades liderou um movimento de oposição a Esparta na Península do Peloponeso, porém não contava com a vitória espartana na cidade de Mantineia, em 418 a.C.

Naquela época, Atenas já observava o declínio do sistema que teve como base a democracia. Uma saída para a crise seria uma vitória militar contundente contra a Liga do Peloponeso. Dessa forma, em 415 a.C., foi preparada uma poderosa esquadra para atacar a cidade siciliana de Siracusa (na Magna Grécia, no sul da Península Itálica) e regiões próximas, além de colônias de origem de alimentos para Esparta e os aliados.

O principal defensor da expedição à Sicília, Alcibíades, foi acusado de impiedoso pelos adversários políticos atenienses. O militar, então, fugiu para Esparta e traiu Atenas. Os espartanos, então, enviaram um exército potente para a Sicília, o que resultou na derrota ateniense em Siracusa, com consequências graves para a cidade-estado, em 413 a.C. Na cidade de Atenas, um grupo oligárquico partidário da paz assumiu o poder, estabelecendo uma paralisação temporária para os embates. Mas os defensores da guerra pretendiam o restabelecimento rápido do conflito.

O DECLÍNIO DE ATENAS

O terceiro período da Guerra do Peloponeso começou em 412 a.C. As revoltas generalizadas entre os aliados de Atenas, além da fortificação de Decélia pelos espartanos, na região da Ática, pressionaram a cidade-estado, que perdeu grande parte da frota na Sicília. Para piorar, as crises políticas eram frequentes entre os moradores de Atenas. Paralelamente, depois de Alcibíades (que parou de auxiliar Esparta) ser nomeado "estratego" – um dos dez militares

Templo antigo na cidade de Mantineia, na Arcádia, na Península do Peloponeso

eleitos anualmente para cuidar dos assuntos de defesa – das forças atenienses, a cidade-estado obteve vitórias navais consideráveis entre 411 a.C. e 406 a.C.

Preocupados com a recuperação de Atenas, os governantes de Esparta estabeleceram uma aliança com o Império Persa, em troca do financiamento de uma frota de navios para invadir Atenas. Ao mesmo tempo, o caminho ficaria livre para que os persas conquistassem as colônias gregas da Jônia, na Ásia Menor.

A partir de então, os espartanos conseguiram conter o avanço ateniense, por meio das táticas do general Lisandro. Nos anos seguintes, Esparta venceu grande parte dos conflitos que deram continuidade à Guerra do Peloponeso. Em 404 a.C., na região de Egos-Pótamos, ocorreu a derrota definitiva dos atenienses. Com esse revés, Atenas foi totalmente cercada e os espartanos obrigaram os moradores a destruir as fortificações do local. Dali em diante, a hegemonia de Esparta reinaria sobre grande parte das cidades-estado gregas, porém durante um período de tempo relativamente curto.

Logo após o fim dos embates, houve uma reviravolta na política de Atenas, apoiada por Esparta. A oligarquia tomou o poder dos democratas, em uma administração conhecida como "Tirania dos Trinta", formada por 30 pessoas. Os governantes, então, dissolveram a Confederação de Delos e entregaram o resto da frota ateniense para Esparta. A situação teve caráter provisório, pois o sistema democrático voltou a vigorar em 403 a.C.

O declínio de Atenas marcou a ascensão de Esparta e desfez a única via possível para a unificação do mundo grego, duramente atingido pela devolução aos persas das cidades da Ásia Menor, em troca de ouro. Pesquisadores analisam que a substituição de um projeto baseado no comércio por um sistema voltado ao militarismo foi a causa de desgastes no território helênico. Diversas aldeias – antes consideradas dinâmicas e cheias de poder – viveriam a ruína na economia, por causa dos gastos excessivos com guerras e disputas internas. Enquanto a Grécia tentava se recuperar, o Império da Macedônia, a norte do território grego, buscava a consolidação de um projeto expansionista, emergindo como potência em meados do século IV a.C., sob o comando de Filipe II, que ocupou a Grécia, e do filho, Alexandre, o Grande – a conquista colocou um ponto final no período do auge de Atenas e da Grécia Antiga no Mar Mediterrâneo.

4
GRÉCIA, A REFERÊNCIA NA DEMOCRACIA

A EVOLUÇÃO DO SISTEMA DEMOCRÁTICO NA CIDADE-ESTADO SÍMBOLO DO VOTO E DO DEBATE DE IDEIAS

A influência do povo grego na cultura ocidental – em especial, a participação dos atenienses – ultrapassou as fronteiras geográficas da Península Balcânica e, principalmente, sobreviveu ao tempo. O Período Clássico (500 a.C. – 338 a.C.) da Grécia Antiga representou uma revolução em diversas áreas do conhecimento humano, como arquitetura, engenharia, literatura, teatro, escultura e filosofia, entre outras.

Tal desenvolvimento deixou marcas que ecoam em vários povos há muitos séculos. O contexto, naquele momento, favoreceu a expansão dos ideais dos habitantes do território grego, sobretudo pelo protagonismo ateniense no cenário político, militar e econômico da época.

A chamada "Idade de Ouro" de Atenas foi fruto dos sucessos em batalhas, da atitude visionária de um governante e da consolidação de uma novidade: o sistema democrático. Por isso, o surgimento e a evolução dos pensamentos ligados à democracia devem ser detalhados, bem como os demais aspectos que fizeram os atenienses observar os fatos que ficariam eternizados nos livros de História, transformando a Grécia em uma das principais referências de nação.

CONDIÇÕES INICIAIS PARA O DESENVOLVIMENTO DA DEMOCRACIA

Historiadores consideram que a formação inicial do sistema democrático de Atenas (a primeira democracia do mundo) tenha ocorrido por volta de 510 a.C. No entanto, o processo de construção dos ideais democráticos remonta ao desenvolvimento da cidade-estado como criadora de leis.

Na época da fundação de Atenas pelo povo jônio, o poder político estava sob o controle dos "eupátridas", donos das terras mais produtivas. O comando da religião, da guerra e da justiça ficava a cargo dos "basileus" (soberanos). Ao longo dos anos, os basileus perderam a supremacia e se transformaram em membros do órgão que recebeu o nome de "Arcontado" (reunião de arcontes), grupo de políticos escolhido para um mandato anual e que formava o "Areópago".

Do século VIII a.C. em diante, a organização política ateniense sofreu diversas mudanças, principalmente após a expansão territorial, ocorrida durante a Segunda Diáspora, quando os portos e a posição geográfica do local favoreceram o intercâmbio comercial com as colônias. A ampliação das atividades econômicas – antes ligadas predominantemente à agricultura – produziu alterações no quadro social da cidade, uma vez que os comerciantes passaram a pressionar a aristocracia por uma participação maior no poder. Paralelamente, a parcela mais pobre da população, sem acesso a nenhuma regalia (política nem econômica) protestava constantemente contra as desigualdades.

Com isso, os donos das terras férteis foram obrigados a fazer concessões, de modo a conciliar os embates. Para tanto, eles passaram a escolher, entre os integrantes da aristocracia, os legisladores, indicados especificamente para elaborar textos com validade jurídica. Um dos principais representantes da categoria foi Drácon, que se tornou legislador em 621 a.C. e respondeu pela introdução do registro por escrito das leis em Atenas – até então, elas eram orais. A cidade passou a ser governada com base em uma legislação, e não mais de acordo com os costumes.

NOVIDADES NA LEGISLAÇÃO ATENIENSE

O legislador e estadista ateniense Sólon iniciou, em 594 a.C., reformas mais profundas ao código proposto por Drácon. Ele perdoou dívidas e hipotecas de pequenos agricultores – o que incomodava sensivelmente tal parcela da população – e aboliu a escravidão por dívida. Uma das ações foi a criação da "Bulé", um conselho inicialmente formado por 400 integrantes, responsável pelas funções administrativas e preparação das leis. Os textos precisavam ser submetidos à apreciação da "Eclésia", ou "Assembleia", formada por indivíduos livres do sexo masculino. Além de votar as propostas de leis, o grupo deliberava sobre assuntos de interesse geral.

No contexto político, Sólon limitou a atuação dos aristocratas e aumentou o número de participantes da vida pública de Atenas. As alterações propostas pelo legislador representaram passos decisivos para o desenvolvimento do ambiente democrático, consolidado na legislação de Clístenes. Apesar de todas as mudanças promovidas pelo estadista, as tensões continuaram entre a aristocracia, os comerciantes, os artesãos e os pequenos proprietários de terras.

Em razão da continuidade dos conflitos, abriu-se espaço para um novo tipo de líder político, capaz de articular a população ateniense contra os membros da aristocracia da cidade-estado. Quando chegaram ao poder, tais políticos, chamados de "tiranos", governavam de forma autoritária e adotavam medidas voltadas para o apelo popular. O mais conhecido deles foi Pisístrato, que permaneceu no poder entre 560 a.C e 527 a.C., com intervalos.

FIM DA TIRANIA ATENIENSE

Como pertencia a uma família tradicional de Atenas, Clístenes obteve o apoio necessário para destituir o tirano Hípias (que governou a cidade-estado entre 527 a.C. e 510 a.C.), filho de Pisístrato, outro tirano integrante de uma família rival.

De acordo com relatos, Hípias teria cerca de 40 anos quando assumiu o poder em Atenas, continuando a política de engrandecimento da pólis, iniciada pelo pai. O seu irmão mais novo, Hiparco, com o qual teria governado, foi assassinado em 514 a.C. por atenienses conhecidos como "Tiranicidas". Assim, o tirano Hípias, que governava de forma moderada, integrando aristocratas, passou a adotar várias decisões que contrariavam o gosto popular. Um dos projetos estipulava o aumento de impostos, necessário para financiar o pagamento de mercenários contratados para defender o governante das revoltas.

Vista da ágora ateniense, o principal espaço político para o desenvolvimento da democracia grega

O fim da carreira de Hípias como tirano foi concretizado quatro anos depois, em 510 a.C., quando o rei espartano Cleómenes I atacou Atenas. Graças à ajuda de atenienses contrários à tirania, as tropas de Esparta cercaram Hípias e os partidários na Acrópole. O político de Atenas decidiu abdicar do cargo e abandonar a cidade. Com isso, a família de Clístenes retornou do exílio e o político foi capaz de ocupar o governo da cidade-estado.

No vácuo de poder em Atenas após a expulsão de Hípias, ocorreu um embate fundamental para a evolução do ideal democrático. Na ocasião, Clístenes buscou o apoio da população e prometeu reformas democráticas. A promessa dessas mudanças seria uma resposta para Iságoras, rival político, aristocrata e membro do governo que tentou bloquear projetos de Clístenes. A saída para Iságoras foi chamar novamente os espartanos para invadir Atenas mais uma vez, mas os habitantes da pólis defenderam o local. O conflito entre atenienses e espartanos terminou rapidamente, porém lançou as bases da desconfiança entre as duas cidades-estado, o que resultaria em grandes batalhas, como a Guerra do Peloponeso.

O GOVERNO DE CLÍSTENES

Depois de assumir o controle do governo ateniense, Clístenes ampliou as atribuições da "Eclésia" e permitiu a existência do que os homens do período denominavam "isonomia" (igualdade perante a lei) e "isegoria" (direitos iguais para discursar). Com isso, o político estendeu os direitos de participação política a todos os homens livres nascidos em Atenas, denominados "cidadãos".

Vale ressaltar, porém, que a participação política era restrita a 10% dos habitantes. Estavam excluídos da vida pública os estrangeiros residentes em Atenas (os chamados "metecos"), escravos, mulheres, entre outros. Projeções indicam que, por volta de 500 a.C., dos 400 mil moradores da cidade-estado, apenas 90 mil eram considerados "cidadãos". Com as reformas de Clístenes, as funções administrativas ficaram a cargo da "Bulé", cujos membros eram sorteados entre os cidadãos. O governante também fortaleceu a "Eclésia", que passou a se reunir mensalmente para discutir as leis.

Os assuntos militares ficaram sob a responsabilidade dos "estrategos". Especialistas em Grécia Antiga atribuem a Clístenes, ainda, a instituição do "ostracismo", que consistia na suspensão dos direitos políticos e no exílio das pessoas avaliadas como perigosas para o governo. Nesse período, a perda dos direitos de um cidadão era uma das maiores humilhações para o homem livre de Atenas.

No aspecto militar, o cidadão ateniense convivia com a possibilidade de servir o exército todos os anos. A cada 12 meses, ele também poderia se reunir com milhares de colegas na "Eclésia" ou ser listado na relação de 6 mil sorteados como jurado para os tribunais populares. Naquela época, o território ateniense abrigava milhares de imigrantes temporários ou de outras cidades gregas. Convém lembrar que eles também não eram considerados cidadãos.

A democracia ateniense ganhava força para se consolidar no século seguinte e representar o primeiro sistema do tipo na história da humanidade. Ainda de acordo com historiadores, o surgimento da democracia na Grécia Antiga não foi fruto do planejamento de um grupo de pensadores, mas representou, de fato, uma surpresa, pois se tratou de algo inédito na trajetória dos agrupamentos humanos.

RELAÇÃO ENTRE ECONOMIA E POLÍTICA

O desenvolvimento do sistema democrático ateniense também está diretamente relacionado ao contexto econômico do período. Um fator fundamental para a opulência verificada em Atenas entre 480 a.C. (após o fim das Guerras Médicas, contra os persas) e 404 a.C. (depois do encerramento da Guerra do Peloponeso, a série de conflitos contra os aliados de Esparta) foi o uso efetivo das minas de prata de Laurion, que ficavam 50 quilômetros ao sul da cidade.

AS PRIMEIRAS MOEDAS GREGAS

De acordo com historiadores, o início do século V a.C. presenciou o aumento considerável de emissões de moedas em Atenas, aproveitando o crescimento da produção de prata nas minas do Laurion. Além disso, o processo de fabricação de moedas foi acelerado, em vista dos preparativos para enfrentar os persas, na Segunda Guerra Médica.

As primeiras moedas da Grécia Antiga começaram a ser cunhadas por volta do século VII a.C. Nas faces, eram revelados objetos úteis no dia a dia, além de figuras de plantas e animais, com destaque para a coruja, a tartaruga e o Pégasus (cavalo alado mitológico que representa a imortalidade).

Na Antiguidade, a região era famosa pela quantidade de recursos minerais. Após a descoberta de uma gigantesca jazida, em 483 a.C., a mineração passou a representar uma das principais fontes de renda do município, ao lado do intenso comércio. No mesmo ano, o general ateniense Temístocles – já influente e ao se aproveitar do ambiente democrático em expansão – conseguiu convencer os conterrâneos a investir o lucro proveniente das minas em frota de 200 trirremes, que serviriam para a proteção da cidade e seriam fundamentais para derrotar o Império Persa, três anos depois, na Batalha de Salamina.

Além disso, com a frota naval poderosa, Atenas encabeçaria a Liga de Delos, importante para colocar a cidade-estado no ponto mais alto da influência sobre os demais gregos. Com os recursos minerais, Atenas abriu caminho para ampliar as reservas e estabelecer o domínio das águas do Mediterrâneo.

As minas eram exploradas por escravos que pertenciam a atenienses, alugados por dia. A comercialização da força de trabalho representava um investimento muito precioso para o município. Vale lembrar que os mineiros tinham péssimas condições de trabalho: com frequência, ficavam presos em galerias estreitas, em condições insalubres. Por conta disso, as revoltas e as fugas eram frequentes. Os escravos refugiavam-se, na maioria das vezes, no templo de Poseidon, localizado no Cabo de Sounion, no sul da Península Ática.

Particularmente em relação a Atenas, quando Pisístrato retornou de dois exílios e estabeleceu um governo mais duradouro, nos anos 540 a.C., introduziu uma cunhagem centralizada, representada pelas primeiras emissões de figuras de corujas, que teria durado todo o período da tirania e o início da democracia de Clístenes.

Progressivamente, as cidades gregas passaram a fabricar moedas com figuras divinas. De instrumento de troca, as moedas passaram a ser consideradas obras de arte. Pelo requinte e aperfeiçoamento da cunhagem, as produções da Grécia Antiga adquiriram aspectos únicos e se espalharam pelo Mar Mediterrâneo.

A "IDADE DE OURO" DE ATENAS

Os fatos envolvidos na evolução do sistema democrático foram essenciais para que os habitantes de Atenas verificassem o esplendor da chamada "Idade de Ouro", sob o governo de Péricles, político fundamental para o desenvolvimento da cidade.

Não se sabe ao certo com quantos anos o governante entrou na vida política – é provável que, na época, ele tivesse mais de 25 anos. No início, ele atuou como assistente do político Efialtes, líder da ala democrática e mentor de Péricles, conhecida pelo pensamento progressista.

Por volta de 461 a.C., a liderança do partido democrático decidiu ter como novo alvo o Areópago, conselho tradicional controlado pela aristocracia ateniense – o órgão estatal já chegou a ser o mais importante da pólis. Efialtes, então, propôs uma redução dos poderes do Areópago. A assembleia ateniense adotou a proposta sem grande oposição.

Gradualmente, o partido democrático passou a ser o partido dominante na política ateniense. Péricles, já influente na cidade, demonstrava disposição para seguir estratégias populistas, de modo a cativar os atenienses. Címon, de família rica, era o oponente político do líder do partido democrático e conseguia obter o apoio popular. Segundo pesquisadores, o pensamento do político seguia o raciocínio de que não existia mais espaço livre para a evolução democrática – ao contrário das reflexões de Péricles, que, em 461 a.C., conseguiu eliminar politicamente o oponente, por meio da instituição do ostracismo. A acusação seria de que Címon teria traído a cidade ao atuar como amigo de Esparta. O líder do partido democrático tornou-se o inquestionável soberano de Atenas, que permaneceu no poder por quase quatro décadas, até a morte, em 429 a.C., aos 66 anos.

Mesmo após o ostracismo do adversário, Péricles continuou a promover uma política social populista. Ele propôs um decreto que permitia aos pobres assistir gratuitamente às peças teatrais, com o Estado pagando o preço dos ingressos. Em outro texto, reduziu as exigências de propriedade necessárias para a eleição ao cargo de arconte – magistrado de algumas cidades-Estado de Atenas, na Grécia Antiga –, em 458 a.C., e concedeu salários generosos para todos os cidadãos que serviam como jurados no supremo tribunal de Atenas. A medida mais controversa foi uma lei promulgada em 451 a.C. que restringia a cidadania ateniense para quem tivesse ambos os pais nascidos no local.

Péricles desejava estabilizar o domínio de Atenas sobre a Liga de Delos, em que a cidade-estado se transformou em um império. Isso ocorreu porque diversos aliados na confederação optaram por pagar tributo aos atenienses, em vez de fornecer mão de obra para os navios da frota militar da liga. Com receio de derrotas e batalhar na região do Mar Egeu, Atenas reteve o tesouro da aliança de Delos (antiga sede da liga e que guardava os bens) em 454 a.C. Foi do tesouro da aliança que Péricles extraiu os fundos necessários para financiar o plano ambicioso de construção na cidade, baseada principalmente na "Acrópole", que incluía os Propileus, o Partenon e a estátua dourada de Atena, esculpida por Fídias, amigo pessoal de Péricles.

No ano de 449 a.C., Péricles propôs um decreto que permitia o uso de uma quantia elevada de recursos para financiar o principal programa de reconstrução dos templos atenienses, o que possibilitou a edificação de algumas das mais maravilhosas criações artísticas do mundo antigo. Naquele período, Atenas já vivia uma efervescência na política, economia, cultura, religião e em vários outros setores da sociedade.

De acordo com o historiador romano e biógrafo Plutarco, após assumir a liderança de Atenas, Péricles não era mais o mesmo homem de antes, um tanto submisso ao povo. O historiador grego Tucídides, admirador e contemporâneo de Péricles, afirmou que Atenas apresentava um sistema democrático, mas era, de fato, "governada pelo primeiro cidadão". O biógrafo ainda argumenta que Péricles "conduzia a multidão, ao invés de ser conduzido por ela".

A ÁGORA EM DETALHES

A ágora era circundada por longas *stoai* (plural de *stoa*), largos pórticos que protegiam os visitantes da chuva, ao mesmo tempo que traziam luz e ar. Além disso, cada *stoa* preenchia uma função social importante, pois era nesses locais que os cidadãos se encontravam para discutir filosofia, artes, negócios ou política.

As primeiras *stoas* eram abertas na entrada, com colunas que ladeavam o edifício e costumavam ser feitas no estilo dórico. Os edifícios eram inteiramente abertos ao público, em que mercadores podiam vender os produtos. Artistas mostravam ali as obras, da mesma forma que a realização de cerimônias religiosas. As *stoai* ficavam normalmente ao redor das ágoras.

Nos edifícios como a Stoa Real e a Stoa do Sul I, ficavam os responsáveis pela administração diária de Atenas. Os legisladores atenienses faziam reuniões diárias no chamado "Bouleuterion", localizado em toda a extensão do lado oeste da praça. Os arquivos centrais ficavam guardados no "Metroon". Os fóruns estavam localizados na parte nordeste e sul da ágora. De acordo com relatos, as atividades comerciais nessa área ocorriam diariamente, nas formas de grandes mercados, em pequenas lojas particulares e nas ruas.

A ágora também servia como um centro religioso de referência. Por isso, a praça possuía um número elevado de santuários pequenos e de altares – grande parte deles era dedicado aos semideuses, conhecidos como heróis. Como os locais sagrados estavam situados no centro da vida cotidiana, recebiam atenção mais regular da população do que os grandes edifícios erguidos na "Acrópole", região mais alta da cidade.

A história do local pode ser dividida em três fases. Na primeira fase, por volta de 500 a.C., foi utilizado o declive natural da encosta. A superfície foi nivelada e uma parede foi construída no lado norte. Na segunda etapa, a orientação do auditório foi invertida, mas o tamanho permaneceu semelhante. Na terceira fase, o Pnyx foi reconstruído e ampliado para a audiência de aproximadamente 14 mil pessoas. Na ocasião, uma plataforma para o orador, chamada de "Bema", foi esculpida na rocha.

No século IV a.C., a "Eclésia" era chamada, pelo menos, quatro vezes por mês, para discutir temas relevantes indicados pela "Bulé". O primeiro encontro da assembleia era chamado de "soberano", em que eram discutidos temas vitais, como o suprimento de grãos e a defesa nacional. A permanência dos oficiais nos cargos também era decisão do órgão.

As decisões da "Eclésia" começava pela leitura de uma "agenda", por um representante da "Bulé", com os itens selecionados a serem discutidos – no entanto, os tópicos poderiam ser alterados pelos participantes. Quando o assunto era apresentado, consultava-se a audiência para saber quem desejava deliberar. Os oradores mais frequentes eram conhecidos como "hoi politeuomenoi" (os políticos).

Alguns oficiais, como os "estrategos" (generais), poderiam adquirir proeminência política ao demonstrar poder de persuasão na assembleia, com a capacidade de convencer os cidadãos. Péricles, por exemplo, obteve grande influência sobre o grupo. Depois da apresentação de pareceres pelos cidadãos, era feita uma votação, por meio da contagem de mãos levantadas, caracterizando a primeira democracia direta de que se tem conhecimento. Até o começo do século V a.C., a "Eclésia" acumulava a função de votar as leis. Contudo, tal função foi transferida para os nomótetas (em grego, "elaboradores de lei"). Por fim, a "Bulé", além de dirigir as discussões na assembleia, era responsável por verificar o cumprimento das discussões e por supervisionar as atitudes dos oficiais.

A ACRÓPOLE ATENIENSE

A acrópole de Atenas é outro símbolo do auge da democracia na cidade-estado. O termo tem origem na junção, em grego, de "akros" (o mais alto) e "polis" (cidade). Trata-se de uma colina rochosa de topo plano que se ergue 150 metros acima do nível do mar e abriga algumas das mais famosas edificações do mundo antigo, como o Partenon e o Erecteion.

Vale lembrar que as acrópoles da Grécia Antiga serviam originalmente como proteção contra os invasores de cidades inimigas. Elas estavam frequentemente cercadas por muralhas. Com o tempo, os locais passaram a servir como sedes administrativas civis ou religiosas. Em relação ao início da ocupação humana na colina, os artefatos mais antigos datam de meados do período Neolítico. Na Idade do Bronze, existiram habitações na região, além de oficinas, casas e espaço de culto.

Registros históricos indicam que um templo para Atena Polias (padroeira da cidade e de outros municípios) foi erguido por volta do século VI a.C. No fim do mesmo século, outro templo tinha sido construído, o Archaiios Naos ("templo antigo", em grego), que pode ter sido dedicado a Atena Partenos. Um novo templo em mármore, o "Antigo Partenon", foi iniciado na época da Batalha de Maratona,

ARTE PERSA ENTERRADA

Depois do fim das Guerras Médicas, em 480 a.C., os atenienses realizaram cerimônias de purificação na Acrópole ateniense, nas quais queimaram e enterraram os objetos de culto e arte do Império Persa. As celebrações fizeram com que grande parte dos templos fosse preservada no período áureo da cidade-estado.

Erecteion, uma das principais edificações da Acrópole de Atenas

em 490 a.C. Para acomodá-lo, a porção sul do planalto foi liberada de obstáculos e nivelada com o complemento de cerca de 8 mil blocos de pedra do Pireu, que chegavam a apresentar 11 metros de profundidade, formando uma espécie de muro de contenção.

O portão da Acrópole foi substituído pelo chamado "Propileu Antigo", uma coluna imponente na entrada da colina. As construções permaneceram inacabadas por um período, por causa das invasões persas em 480 a.C. Na ocasião, elas foram destruídas. A maior parte das construções da Acrópole foi erguida quando a cidade estava sob o comando de Péricles, durante a fase conhecida como "Era de Ouro", entre 460 a.C. e 430 a.C.

Ictino e Calícrates, dois arquitetos famosos, e Fídias, um dos principais escultores gregos, foram os responsáveis pela reconstrução.

Durante o século V a.C., a acrópole ganhou a forma final. O estadista Cimon e o general Temístocles ordenaram a reconstrução dos lados sul e norte das muralhas, enquanto Péricles encomendou o projeto do Partenon. Em 437 a.C., o arquiteto Mnésicles começou a elaborar o "Propileu", com colunas de mármore, parcialmente construído sobre o propileu do tirano Pisístrato – a obra foi encerrada em 432 a.C.

No mesmo período, os atenienses iniciaram a edificação do Erecteion, uma das construções mais famosas de Atenas, que apresenta esculturas no lugar de colunas, para celebrações que in-

> **A DEMOCRACIA ATENIENSE**
> Segundo pesquisadores dos procedimentos ligados à democracia ateniense, uma série de tomada de decisões na "Eclésia" poderia durar até quatro horas.

cluíam homenagens, entre outros, aos deuses e a Erecteu (rei da cidade-estado atenisense, de acordo com a mitologia grega). Entre o Partenon e o templo de Atena Nice (deusa grega que personificava vitória, força e velocidade, representada por uma mulher com asas), ficava o espaço destinado à adoração de Ártemis Baurônia, a deusa representada por um urso. Uma estátua em bronze de Atena Promacos (a deusa que combate na linha de frente) fica perto do Propileu. A escultura, com 9 metros de altura sobre uma base de quase 2 metros, também foi concebida por Fídias. Além disso, havia o Teatro de Dionísio, situado do lado de fora da Acrópole. O local era o palco das maiores peças teatrais da Antiguidade.

TRAJETÓRIA POLÍTICA

Em 472 a.C., Péricles foi o responsável pela apresentação da peça "Os Persas", do dramaturgo grego Ésquilo, no festival da Grande Dionísia. O enredo trata de uma visão nostálgica da vitória das forças atenienses, comandadas Temístocles, na Batalha de Salamina. De acordo com historiadores, essa situação mostra que o jovem político apoiava Temístocles contra o oponente político dele, Címon, membro de um grupo de oposição que conseguiria a condenação de Temístocles ao ostracismo.

No ano de 463 a.C., o estadista foi o principal promotor encarregado de processar Címon, acusado de negligenciar os interesses vitais de Atenas na Macedônia. Apesar de o réu ter obtido a absolvição, o embate expôs a vulnerabilidade do principal rival político de Péricles.

Por volta de 461 a.C., a liderança do partido democrático decidiu propor reformas para os órgãos de deliberação da cidade, como o Areópago e a Eclésia. Tais alterações representaram o início de uma nova era, pois o grupo, aos poucos, se transformou na legenda dominante da política ateniense. Pesquisadores avaliam que a grande influência de Péricles começou a se estabelecer naquele ano. Paralelamente, Péricles demonstrava disposição para continuar com uma política populista, cativando os moradores da cidade.

A título de exemplo, o governante propôs um decreto que permitia aos pobres assistir gratuitamente às peças teatrais, com o Estado pagando o preço dos ingressos. Em outras decisões, Péricles reduziu a exigência de propriedade necessária para a eleição ao cargo de arconte (com o poder, inclusive, de legislar), em 458 a.C., e pouco tempo depois, concedeu salários generosos para todos os cidadãos que serviam como jurados na Helieia – o supremo tribunal de Atenas. A medida mais controversa foi uma lei, promulgada em 451 a.C., que limitava a cidadania ateniense às pessoas cujos pais fossem nascidos na cidade-estado.

O GOVERNANTE DO PERÍODO ÁUREO DE ATENAS

O estadista Péricles nasceu por volta do ano de 495 a.C., na região norte de Atenas, e influenciou sensivelmente a cidade-estado como orador e general. Historiadores destacam que ele representou um dos principais líderes democráticos de Atenas e a maior personalidade política do século V a.C. Viveu durante a Era de Ouro de Atenas e descendia, pela linhagem da mãe, dos Alcmeônidas, uma família influente e poderosa.

Péricles era filho do político Xantipo, que chegou a comandar o contingente ateniense em batalhas. A mãe de Péricles, chamada Agarista, desempenhou um papel fundamental no início da carreira do marido. Isso ocorreu porque a mãe de Péricles era sobrinha do reformista ateniense Clístenes. Com isso, a inserção na vida política foi um caminho natural para Péricles.

A preocupação com a educação era constante na vida do jovem, que aprendeu música com mestres e é considerado o primeiro político a atribuir grande importância à filosofia – uma das condições para a proeminência de Sócrates e Platão no cenário ateniense da época. Além disso, Péricles apreciava a companhia dos filósofos Protágoras, Zenão de Eleia e Anaxágoras.

Vista da Acrópole ateniense

O IMPERIALISMO ATENIENSE

Com a sequência das atividades da Liga de Delos (formada durante as Guerras Médicas), Péricles pretendia estabilizar o domínio de Atenas sobre a aliança e assegurar a soberania da cidade-estado no território grego. No entanto, convém ressaltar que o processo através do qual a Confederação de Delos se transformou em um império ateniense é considerado, em geral, anterior ao período da administração de Péricles. Na ocasião, diversos aliados optaram por pagar tributo a Atenas em vez de fornecer mão de obra para os navios da frota militar. Os passos definitivos da transição rumo ao império podem ter sido desencadeados pela derrota de Atenas no Egito, que representou um desafio à dominância da cidade sobre o Mar Egeu e levou à revolta de diversos aliados, como Mileto e Éritras. Historiadores divergem a respeito da decisão, mas a administração de Péricles transferiu o tesouro da aliança de Delos para Atenas em 454 a.C. Anos mais tarde, em 449 a.C., as revoltas em Mileto e Éritras foram debeladas. Assim, Atenas recuperou o domínio sobre os aliados.

Foi do tesouro da aliança que o governante ateniense extraiu os fundos necessários para financiar o plano de construção, que seria centrado na "Acrópole de Péricles" e incluía o Propileu, o Partenon e a estátua dourada de Atena, esculpida por Fídias, amigo do administrador da cidade-estado. Em 449 a.C., Péricles propôs um decreto que permitia o uso de um valor considerável para financiar o principal programa de reconstrução dos templos atenienses, o que financiou algumas das criações artísticas maravilhosas do mundo antigo.

Por mais de 20 anos, o governante liderou diversas expedições – a maior parte delas ocorreu nos mares. Ele adotava o tom cauteloso e baseava as decisões militares no princípio adotado pelo general Temístocles de que a predominância ateniense dependia da potência naval. Péricles acreditava que os espartanos eram praticamente invencíveis nos combates em terra. Por isso, o administrador tentou minimizar as vantagens de Esparta ao reconstruir as muralhas de Atenas.

Em 430 a.C., durante a Guerra do Peloponeso, o exército espartano saqueou a Ática pela segunda vez. Naquele ano, uma epidemia devastou a população ateniense. A condição caótica da cidade desencadeou uma onda de revolta entre a população e Péricles foi obrigado a se defender em um discurso final carregado de emoção. O texto é considerado uma oração de conteúdo excepcional, que revela as virtudes de Péricles na oratória, mas também a amargura dele por causa da ingratidão dos compatriotas.

Inicialmente, a argumentação foi bem sucedida e o administrador conseguiu passar pela crise. Entretanto, os inimigos políticos de Péricles conquistaram o objetivo pouco tempo depois, com Péricles sendo removido do cargo de general, além de receber uma multa.

A política ateniense, cheia de reviravoltas, produziu mais uma delas, em pouco menos de um ano: em 429 a.C., os atenienses perdoaram o comandante e o reelegeram para o comando militar da cidade-estado. Ele, então, liderou todas as operações daquele ano, assumindo novamente o controle do poder na cidade. No mesmo ano, contudo, Péricles sofreria um golpe duro, em razão do falecimento dos dois filhos, Páralo e Xantipo, vítimas da epidemia. Debilitado, o general também contraiu a doença no outono de 429 a.C., não resistiu e morreu.

TENSÃO POLÍTICA EM ATENAS

As dificuldades na política pesaram sensivelmente nos últimos dias de Péricles. Vale lembrar, por exemplo, que um número muito maior de pessoas morreu na peste do que teria morrido na guerra. Os atenienses o responsabilizaram pela guerra com os espartanos e pela estratégia equivocada nas batalhas.

Com a morte de Péricles, Atenas ficou privada de um administrador com qualidades extraordinárias, pois se tratava de um militar e estrategista de grande envergadura, além de um político com talento fora do comum. Ele foi capaz de formular uma política e convencer os atenienses a adotá-la fielmente, a partir dos preceitos democráticos. Além disso, Péricles evitou que os cidadãos agissem de forma apressada e os encorajou em momentos de pouca confiança. Após ser restabelecido no poder, o líder foi capaz de unir os atenienses em torno de várias ideias como talvez nenhum outro ateniense conseguiria.

Péricles em famoso discurso proferido no final do primeiro ano da Guerra do Peloponeso

5
A ESCOLA DE SÓCRATES

COMO O AMOR À REFLEXÃO
E À BUSCA DA VERDADE LEVOU OS GREGOS A
INFLUENCIAR PARA SEMPRE O MUNDO OCIDENTAL

Com a consolidação do sistema democrático e o governo de Péricles, os atenienses vivenciaram o auge no aspecto econômico e em outras áreas da vida cotidiana, como as artes, a arquitetura e a literatura. Um dos principais campos que registrou evolução significativa foi a filosofia, principalmente em razão das reflexões proporcionadas por Sócrates e seus discípulos.

Naquele período, por volta de 430 a.C., foram lançadas as bases que norteiam – até hoje – o pensamento filosófico do Ocidente. No entanto, atribuem-se a Tales de Mileto, que viveu entre 624 a.C. e 556 a.C., os primeiros registros ligados à filosofia na Grécia Antiga.

ETAPAS DO PENSAMENTO FILOSÓFICO NA GRÉCIA

Em linhas gerais, a filosofia grega pode ser dividida em três grandes períodos, conhecidos como períodos pré-socrático, socrático e helenístico.

Os filósofos pré-socráticos desenvolveram as teorias do século VII a.C. ao V a.C. Eles receberam essa denominação porque antecederam Sócrates, o maior expoente na área até hoje. Os homens procuravam nos elementos da natureza as respostas sobre a origem do ser e do mundo. Por isso, foram chamados de "filósofos da physis".

As bases para o desenvolvimento da filosofia remetem à literatura. Os poetas gregos, como Homero, desempenhavam papel importante na educação dos jovens. Os poemas homéricos apresentavam características que serviriam de base para a evolução da área. A principal delas é a busca pelas causas dos acontecimentos narrados, buscando uma linguagem que tratasse da realidade da forma mais completa possível.

Hesíodo, outro poeta grego, tem grande importância para o pensamento grego por ter narrado o nascimento dos deuses, uma forma de tentar explicar a origem do universo, tema que apareceria nos trabalhos de Tales de Mileto.

VOCÊ SABIA?

Aristóteles (384 a.C. a 322 a.C.) foi o primeiro a afirmar que a baleia e o golfinho não são peixes e que os morcegos não se enquadram entre os pássaros. O filósofo registrou aproximadamente 500 classes diferentes de animais e dissecou cerca de 50 deles.

Ruínas Mileto, na Ásia Menor, no atual território da Turquia, cidade natal de Tales, considerado o primeiro filósofo grego

AS BASES DA FILOSOFIA OCIDENTAL

O período socrático, também chamado de clássico, marca o impulso para que os aspectos filosóficos fossem discutidos de maneira mais abrangente, com a substituição do foco de análise. Nessa fase, os filósofos passaram a se preocupar com os problemas relacionados ao indivíduo e à organização da humanidade.

Eles passaram a se questionar sobre o bem, a verdade e a justiça, entre vários outros aspectos. Assim, a natureza deixou de ser o principal objeto de investigação filosófica, que se concentrou no ser humano. Por isso, a figura de Sócrates surge como o representante maior dessa transição, que influencia o pensamento ocidental até os tempos atuais.

Escultura em mármore em homenagem ao poeta grego Hesíodo, cujos registros auxiliaram no surgimento da chamada filosofia da Grécia Antiga

LEGADO DE SÓCRATES

Na obra "Fédon", a morte de Sócrates foi narrada assim por Platão: "Levou a taça aos lábios e com toda a naturalidade, sem vacilar um nada, bebeu até a última gota. Até esse momento, quase todos tínhamos conseguido reter as lágrimas; porém, quando o vimos beber, e que havia bebido tudo, ninguém mais aguentou. Eu também não me contive: chorei à lágrima viva. Cobrindo a cabeça, lastimei o meu infortúnio; sim, não era por desgraça que eu chorava, mas a minha própria sorte, por ver de que espécie de amigo me veria privado. Critão levantou-se antes de mim, por não poder reter as lágrimas. Apolodoro, que desde o começo não havia parado de chorar, pôs-se a urrar, comovendo seu pranto e lamentações até o íntimo todos os presentes, com exceção do próprio Sócrates".

Sócrates provocou uma ruptura sem precedentes na história da filosofia grega. Enquanto os filósofos pré-socráticos, chamados de naturalistas, procuravam responder a questões ligadas à natureza, o pensador contribuiu para que as pessoas participassem da descoberta da evidência, a manifestação do mestre interior à alma. Conhecer-se a si mesmo, então, seria conhecer Deus em si.

Ruínas da cidade de Magnésia, em território grego, onde eram encontradas rochas meteóricas pesquisadas por Tales de Mileto

A ESCOLA DE SÓCRATES

O método de Sócrates ganhou destaque, pois se baseava na argumentação. Ele insistia que só se descobre a verdade pelo uso da razão. O legado residia, sobretudo, na convicção inabalável de que mesmo as questões mais abstratas admitem uma análise racional, sendo até hoje uma das principais chaves de pensamento ocidental.

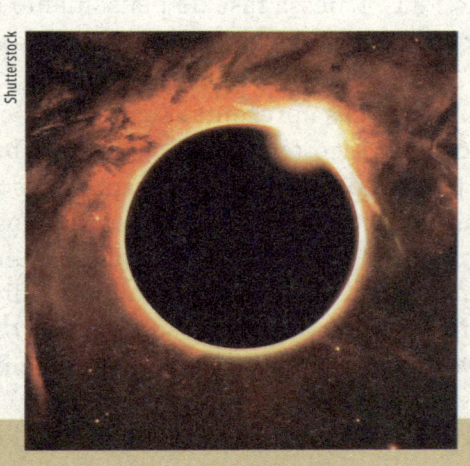

O filósofo Tales de Mileto foi o primeiro a compreender e difundir a dinâmica do eclipse do Sol

TALES, O "PAI" DA FILOSOFIA GREGA

Tales de Mileto foi um filósofo, matemático, engenheiro e astrônomo da Grécia Antiga. Nasceu em Mileto, antiga colônia grega, na Ásia Menor (atual Turquia), por volta de 624 a.C. Registros indicam que o filósofo morreu aproximadamente em 546 a.C.

Ele é apontado como um dos principais sábios do território grego. O matemático considerava a água a origem de tudo. Os seguidores concordavam com o engenheiro no que se referia à existência de um "princípio único" para a natureza primordial da matéria – embora eles discordassem quanto à "substância primordial", que constituía a essência do universo. Assim, a observação da natureza e a relação dos recursos com o ser humano representavam uma das tarefas básicas de quem se aventurava nos primórdios da filosofia.

Tales foi o primeiro a explicar o eclipse solar, ao constatar que a Lua é iluminada pelo astro. De acordo com o historiador grego Heródoto, o matemático teria previsto um eclipse solar em 585 a.C., feito que, segundo o filósofo Aristóteles, marca o momento em que começa, de fato, a filosofia.

De modo geral, o matemático se esforçou em buscar o princípio único da explicação do mundo. Com isso, Tales constituiu o ideal dessa área de pesquisa e forneceu o impulso para o próprio desenvolvimento dela.

A tendência do filósofo em buscar a verdade da vida na natureza o levou também a experiências com magnetismo, que, naquele tempo, existiam apenas como curiosidade – a exemplo da atração por objetos de ferro, por um tipo de rocha meteórica achado na cidade de Magnésia, de onde deriva o nome.

ESCOLAS FILOSÓFICAS DO PERÍODO HELENÍSTICO

O termo "helenístico" deriva de helenismo, que corresponde ao período do domínio macedônico, sob o comando de Alexandre Magno, até a ocupação romana em território grego. Em linhas gerais, trata-se da época que vai do fim do século IV a.C. ao encerramento do século I d.C. É nessa fase do pensamento ocidental que a filosofia se expande da Grécia para outros centros, como Roma e Alexandria.

As escolas helenísticas apresentam características semelhantes às do período socrático (ou clássico), como a busca da sabedoria, definida pelos filósofos como a terapia mais recomendada para cuidar da tranquilidade nos aspectos cotidianos da vida. Tais instituições carregavam o legado de Sócrates ao admitirem que os homens permanecem na ignorância e ficam prejudicados pelo juízo de valor atribuído às coisas. Por isso, segundo os pensadores, os cidadãos deveriam modificar o modo de raciocinar. Para eles, isso seria possível apenas com a paz interior.

Entre as correntes de pensamento do período helenístico, ganha destaque a vertente dos dogmáticos, para os quais o desafio consiste em transformar os juízos de valor. Já os céticos e cínicos acreditam que o objetivo é interromper todos os juízos.

Ilustração representando o filósofo Sócrates

SEXO PARA REPRODUÇÃO

Uma corrente de pesquisadores acredita que Sócrates era homossexual e defendia essa modalidade de relação como a mais alta inspiração para os considerados "homens bem-pensantes". De acordo com interpretações, para o filósofo, o sexo entre homem e mulher só serviria como meio para a reprodução. O amor entre dois homens era tido, pela cultura de algumas cidades-estado gregas, como o único verdadeiro.

A ESCOLA DE SÓCRATES

VOCÊ SABIA?

Durante a infância, Sócrates ajudou o pai no ofício. No entanto, de acordo com relatos, apresentava dificuldades em trabalhar o mármore. Sócrates foi casado com Xantipa, que era bem mais jovem que ele, e teve um filho, Lamprocles. Há relatos de que o casal possivelmente teve mais dois filhos, Sofronisco e Menexeno.

SÓCRATES: O FILÓSOFO MAIS INFLUENTE DA GRÉCIA ANTIGA

Os detalhes sobre a vida de Sócrates têm origem nos diálogos de Platão (pupilo do filósofo), nas peças de Aristófanes e nos diálogos de Xenofonte. Não há evidência de que Sócrates, por iniciativa própria, tenha publicado obras.

O pensador nasceu nas planícies do Monte Licabeto, próximo a Atenas, em 469 a.C. Sócrates vinha de família com origem humilde. Era filho de Fainarete, uma parteira, e de Sofronisco, um escultor que se especializou em entalhar colunas em templos.

Curiosamente, Sócrates costumava caminhar descalço e não tinha o hábito de tomar banho. Em certas ocasiões, parava o que estava fazendo e passava a meditar sobre algum problema, ficando imóvel por horas. O pensador tinha o hábito de debater com os habitantes de Atenas. Ao contrário dos pré-socráticos, o filósofo não fundou escola e preferia realizar o trabalho em locais públicos, sobretudo em praças e ginásios. Ainda de acordo com relatos, ele agia de forma descontraída e descompromissada, algo incomum naquela época.

Não se sabe ao certo quais eram as ocupações diárias de Sócrates. De acordo com algumas fontes, o pensador aprendeu a profissão de oleiro com o pai. Na obra de Xenofonte, Sócrates aparece declarando que se dedicava à maiêutica (parto de ideias), considerada por ele a ocupação mais importante.

Para Sócrates, antes de buscar qualquer verdade, o homem precisa se analisar e reconhecer a própria ignorância. Sócrates inicia uma discussão e conduz seu interlocutor a tal reconhecimento, por meio do diálogo, que representa a primeira fase de seu método, chamada de "ironia" ou "refutação". Na segunda fase, Sócrates pedia vários exemplos particulares do que era discutido. Por exemplo, se estava procurando definir a prudência, pedia descrições de atos considerados prudentes. Logo depois, o pensador analisava os casos com a finalidade de descobrir o que era semelhante em todos eles. Esse algo comum é a prudência, a essência dos atos sábios, que existirá em qualquer ato prudente.

RELAÇÃO COM A POLÍTICA

Sócrates desprezava a política e não se adaptava à vida pública, embora tenha exercido funções no quadro político, inclusive como soldado. Seu método filosófico ideal era o diálogo, por meio do qual ele se comunicava da melhor forma possível com seus contemporâneos, no esforço de transmitir conhecimentos para os cidadãos gregos. Além de deixar ao mundo sua sabedoria sem par, ele também formou Platão e Xenofontes, discípulos fundamentais para a perpetuação dos ensinamentos, embora não tenha deixado por escrito o fruto das pregações. De acordo com relatos, Sócrates se casou com Xantipa, mas nunca priorizou a família. Acreditava que a essência crítica o levava a uma missão, a de multiplicar seres igualmente dotados de sabedoria. A escolha o levaria a se chocar com a cúpula dos governantes, na qual conquistaria inimigos e insatisfação. O caráter crítico e os pensamentos opostos à estrutura social fizeram com que o filósofo incomodasse os protagonistas da cena política da Grécia.

Desse modo, as ideias de Sócrates se espalhavam pela cidade, enquanto ele ganhava discípulos. Com a eclosão da Guerra do Peloponeso, todos os homens entre 15 e 45 anos foram enviados para lutar. Sócrates, pela habilidade de fazer as pessoas o seguirem, foi escolhido como um dos generais. No fim dos embates, com a intenção de salvar os poucos soldados vivos, o pensador ordenou que todos voltassem rapidamente para Atenas, mas deixassem os mortos no campo de batalha, contrariando uma lei que obrigava o general a enterrar todos os soldados mortos ou morrer tentando. Assim, ao chegar, ele foi preso.

O comportamento do pensador resultou na prisão dele, acusado por atenienses de perverter a juventude e renegar os deuses cultuados. Diante do tribunal, ele se recusou a se defender, pois não pretendia renunciar ao que acreditava e ao que pregava aos conterrâneos. Ele preferia ser condenado e preservar a busca da verdade. Com essa decisão, optou pela morte, decretada pelos juízes, por meio do voto da maioria.

O tribunal, constituído por 501 cidadãos, condenou o pensador. Mas a sentença não foi a pena de morte. Os jurados sabiam que, se condenassem Sócrates à morte, milhares de jovens iriam se revoltar. Condenaram o filósofo a se exilar para sempre ou ter a língua cortada. Com isso, ele não poderia ensinar aos demais. Caso se negasse, ele seria morto.

A ESCOLA DE SÓCRATES

Prisão que abrigou Sócrates, em Atenas, antes da sentença de morte proferida pela justiça grega

DEPOIS DA CONDENAÇÃO, O FILÓSOFO AFIRMOU:

"Vocês me deixam a escolha entre duas coisas: uma, que eu sei ser horrível, que é viver sem poder passar meus conhecimentos adiante. A outra, que eu não conheço, que é a morte... escolho, pois, o desconhecido!"

Quando se dirigiu aos cidadãos atenienses que o julgaram, Sócrates disse que era grato a eles e que os amava, mas que obedeceria antes aos deuses do que a eles. Segundo o pensador, enquanto tivesse um sopro de vida, o júri poderia estar seguro de que ele não deixaria de filosofar, tendo como única preocupação o caminhar pelas ruas. O objetivo era convencer os conterrâneos a não se preocupar com o corpo nem com a fortuna, mas principalmente com a alma, a fim de torná-la tão boa quanto possível.

Após isso, Sócrates deixou o tribunal e seguiu para a prisão. Naquele período, existia uma lei que exigia que nenhuma execução acontecesse durante a viagem de um navio sagrado a Delos. Dessa maneira, Sócrates ficou encarcerado por 30 dias em Atenas, sob custódia de 11 magistrados encarregados da administração penitenciária. Durante um mês, o pensador recebeu os amigos e conversou com eles. Declarava não querer descumprir as leis da pátria e recusava a ajuda dos companheiros para fugir. Em 399 a.C., Sócrates bebeu cicuta (planta venenosa de origem no hemisfério norte) e, diante dos amigos, morreu por envenenamento.

VOCÊ SABIA?

Sócrates foi um dos poucos filósofos gregos a não escrever nenhuma obra, já que tinha desprezo pela escrita. O pensador preferia o diálogo como uma maneira de atingir a verdade. Os livros que são creditados a Sócrates foram compostos, de fato, pelos discípulos.

6
MITOLOGIA GREGA: DEUSES E HERÓIS

AS LENDAS ASSOCIADAS À CULTURA DA GRÉCIA ANTIGA DATAM DE 700 A.C. E CONTAM HISTÓRIAS DE PERSONAGENS QUE AINDA HOJE INFLUENCIAM OBRAS LITERÁRIAS

MITOLOGIA GREGA: DEUSES E HERÓIS

A riqueza da cultura grega apresenta-se de formas variadas. Dentro desta realidade, a mitologia é uma das mais importantes bandeiras e tem, através dos tempos, influenciado as criações literária e artística ao redor do mundo. No Brasil, um dos exemplos mais claros é a obra de Monteiro Lobato, que se apropria de tais lendas para compor muitas de suas histórias no final da década de 1930 e início dos anos 1940.

Em síntese, a mitologia grega pode ser definida como um conjunto de mitos sobre deuses diversos, centauros, heróis, titãs e ninfas. Tais fábulas se originaram da junção das mitologias dórica e micênica aproximadamente em 700 a.C.

Os micênicos, que viveram entre os anos de 1600 a.C. e 1050 a.C. e se desenvolveram na ilha de Creta, tinham crenças diferentes das civilizações gregas mais antigas, que eram adoradoras de uma deusa-mãe. Eles louvavam Poseidon, pois acreditavam ser ele o governador máximo da Terra. A maioria dos historiadores entende que, nessa época, tem início a proliferação das primeiras lendas da mitologia grega, já que, no período, o deus principal daquele povo passou a ser Zeus.

Homero descreve em "Ilíada" e "Odisseia" os feitos dos personagens da mitologia grega

Na mitologia, os deuses gregos eram caracterizados por possuírem forma e sentimentos humanos, como amor, ira e inveja. Essas semelhanças entre deuses e homens são um dos aspectos do humanismo grego. Por estarem sujeitos a tais inclinações, comumente eles se apaixonavam por seres terrenos e com estes se reproduziam. Certos heróis bastante conhecidos eram tidos como filhos de deuses, porém, continuavam sendo humanos e finitos. Já os deuses possuíam a dádiva da imortalidade.

ESCRITOS

Dentro desse contexto politeísta – adoração a vários deuses –, não é observada na mitologia grega a existência de qualquer escritura sagrada, como a Bíblia é para os cristãos ou o Alcorão para os islâmicos. Os escritos sobre o assunto foram elaborados por Hesíodo (Teogonia) e Homero (Ilíada e Odisseia) durante o século VII a.C.

Também conhecido por Genealogia dos Deuses, Teogonia é um poema mitológico em 1022 versos hexâmetros escrito e narrado por Hesíodo, que trata do surgimento e da história dos deuses gregos.

Já Homero descreve em seus livros, considerados os mais importantes da história, os grandes feitos dos personagens mitológicos.

A MITOLOGIA COMO INSTRUMENTO IDEOLÓGICO

A obra Teogonia, de Hesíodo, é uma coletânea de histórias que falam da hierarquia e genealogia de heróis e deuses. Apesar da visão de que a mitologia grega foi elaborada para explicar as origens do universo e do homem, hoje diversos historiadores entendem que ela também funcionava como uma espécie de instrumento ideológico utilizado para que o domínio aristocrata fosse mantido na Grécia pré-democrática.

Teogonia é um livro sustentado por três pilares. Em primeiro lugar, a Cosmogonia (cosmos = universo; gonia = origem) traz um relato bastante abrangente do início do mundo. Neste momento, o autor aborda quatro deuses: Caos (o nada caótico que depois ganha forma e é a origem de tudo); Gaia (a mãe terra); Tártaro (mundo subterrâneo, posteriormente denominado inferno pelo mundo cristão) e Eros (amor, desejo). Os quatro deuses representam a imagem que vai do pré-gênesis (matéria informe), passa pela verificação de sua formação com Gaia e a constatação do fenômeno do surgimento e desaparecimento dos seres.

Por meio do Caos, brotaram Érebo e Nix (noite). Desta segunda nasceram Éter e Hemera (dia). A partir da união entre Tártaro e Gaia surgiram Urano (céu), Montes (as montanhas) e Pontos (mar). Termina, desta forma, a primeira etapa da cosmologia.

A segunda parte da obra, por sua vez, trata da soberania de Urano. Ele uniu-se a Gaia, sua mãe. Juntos, geraram os Titãs (Hiperíon, Jápeto, Cronos, Oceano, Ceos e Crio), os Ciclopes, os Hecatônquiros e as Titânidas (Tetis, Febes, Mnemósina, Teia e Reia). Além dessa união, outras relações dão origem a diferentes deuses e semideuses. O objetivo dessa etapa do livro era, propriamente, relatar a chamada Teogonia (theos = deuses; gonia = origem).

Conta-se que Cronos, o deus do tempo, era um dos filhos de Urano e teria castrado seu próprio pai. Assim, assumiria o poder. Do esperma derramado no oceano surge uma espuma que dá origem a Afrodite. Cronos casa-se com sua irmã, Reia, e origina a segunda geração de divindades (Héstia, Deméter, Hera, Hades, Posídon e Zeus).

O cenário futuro mostra um ambiente de substituição da ordem e da paz por domínios passageiros. Cronos, ao gerar, engolia seus filhos. No entanto, por um acaso, Zeus, o mais novo, é escondido. O pai traga uma pedra no lugar dele, acreditando ser seu filho caçula. Com isso, Zeus conseguiu crescer, destronar Cronos e fazê-lo vomitar todos os seus irmãos, que o proclamaram o novo deus-rei. Zeus, então, alcançou o poder após batalhas árduas e originou uma nova fase.

Por último, a obra apresenta a Heroogonia. Essa etapa mostra Zeus estabelecido como dominador e suas consequentes aventuras. O deus-rei forma, por meio da constante união sexual dele com mortais e deusas, uma nova geração de semideuses heróis, como seu filho Héracles (Hércules para os latinos).

Diante do histórico de destronamento dos antecessores, os deuses passaram a criar certas barreiras aos seus sucessores para que não acontecessem mais episódios de destronamento.

As genealogias e também as histórias desses deuses, semideuses e heróis auxiliaram na compreensão das fases do homem, tradicionalmente chamadas de Ouro, Prata e Bronze. De acordo com historiadores, o objetivo desta analogia era demonstrar claramente a degeneração do homem de uma raça superior para uma inferior. Ou seja, assim como havia uma hierarquia entre os deuses, precisaria ocorrer o mesmo entre os homens, que deveriam obedecer tais leis, pois este era o destino do cosmos. Essa ideia era mais facilmente disseminada porque o homem grego antigo enxergava-se como parte integrante do cosmos e terminava por consentir com esse discurso favorável à ordem das coisas. Nomes relacionados com as divindades eram colocados nas cidades fundadas. Já os reis buscavam justificar a sua posição de poder a partir de supostas descendências com os deuses mitológicos.

Dentro da escala hierárquica da mitologia grega, os deuses do Olimpo são aqueles considerados mais poderosos entre os vários grupos existentes. O povo grego acreditava que as divindades habitavam o topo do Monte Olimpo, a mais alta montanha do país, de onde decidiam a vida dos mortais. Um grupo de doze integrantes forma a classe superior de deuses gregos.

ZEUS, GOVERNANTE DE TODOS OS DEUSES

Entre os deuses da classe superior, Zeus é tido como o governante dos demais. O deus dos trovões e senhor do Olimpo era, como descrito anteriormente, filho caçula de Cronos e Reia. Sobreviveu ao hábito de seu pai, que devorara seus filhos, e tomou o poder das mãos dele.

Conta-se que Zeus foi criado no bosque de Creta e tinha como principais itens de alimentação mel e leite de cabra. Já grande, buscou o pai para enfrentá-lo e os dois tornaram-se inimigos. Foi então que o Senhor do Olimpo obrigou Cronos a tomar uma poção mágica, que trouxe de volta os filhos que ele havia engolido no passado. Dessa forma, Zeus conheceu quatro irmãos: Deméter, Poseidon, Héstia e Hades.

Após dez anos de batalha, Zeus destruiu Cronos e tomou o Olimpo ao lado dos irmãos Poseidon e Hades, que o auxiliaram na guerra contra o pai. De lá, passaram a comandar tudo na Terra e no Céu. Todos estavam sob seu domínio.

Zeus possuía poderes relacionados aos fenômenos atmosféricos. Ele produzia os relâmpagos e trovões. Com sua destra, mandava chuva. Ele se casou por três vezes, a última delas com Hera, e teve muitos herdeiros. Vale dizer que Hera demonstrava um comportamento ciumento e agressivo, uma vez que Zeus tinha diversas amantes e vários filhos fora do casamento. Acreditava-se que Zeus era o deus que dava ao homem o caminho da razão. Ele ensinava ainda que o conhecimento de verdade é alcançado só por meio da dor.

A ciumenta Hera, esposa de Zeus, era considerada a protetora dos casamentos

HERA, A PROTETORA DE CASAMENTOS

Rainha do Olimpo, Hera governava ao lado do marido Zeus. Contudo, ela, que considerava muito o casamento, era humilhada pelo esposo infiel. A mitologia conta que ficou ainda mais deprimida quando, sozinho, Zeus gerou sua filha Atena. Com isso, ele indicava que não precisava de sua mulher nem mesmo para conceber.

Em um dos episódios de ciúme, Hera encontra-se com a deusa Calisto, que conquistara seu marido através da beleza, e a transformara em uma Ursa. Diante disto, Calisto fica isolada e amedrontada na floresta por causa dos caçadores. Certo dia, ela reconheceu seu filho Arcas e correu para abraçá-lo. No entanto, por não distinguir a mãe, ele preparou sua lança contra Calisto. Ao ver o que ocorreria, Hera lançou uma mágica e enviou ambos para os céus, onde viraram constelações: a Ursa Maior e a Ursa Menor. Considerada a protetora das mulheres casadas, a deusa Hera perseguiu, durante um longo período, não somente as amantes, como também todos os filhos que seu marido Zeus teve fora do casamento.

APOLO, O DEUS DA LUZ

O deus Apolo é conhecido também como Febo (brilhante). Dentro da mitologia grega, ele é considerado o deus da luz e da juventude. Apolo, filho de Zeus e da titã Leto, tinha Ártemis como irmã gêmea. De acordo com a lenda, ele e a irmã nasceram na ilha de Delos, onde a mãe Leto buscou refúgio de Hera, esposa de Zeus.

Apolo era reconhecido como um exímio arqueiro. Conta-se que, com apenas um ano de vida, seguiu a serpente Píton, inimiga de sua mãe, e assassinou-a a flechadas. O seu arco disparava dardos letais, que matavam homens subitamente.

Dentro do contexto da mitologia grega, Apolo é visto como um deus justo e puro, pois auxiliava doentes na cura de diferentes enfermidades por meio do sono.

ATENA, A DEUSA DA SABEDORIA

Chamada pelos romanos de Minerva, Atena era a deusa grega das artes e da sabedoria. Fora concebida a partir da união de Zeus e da também deusa Métis. Atena era uma linda deusa virgem e guerreira.

A mitologia destaca que ela era a filha predileta de Zeus. No entanto, quando sua mãe Métis ficou grávida, o pai engoliu a esposa com medo de sua filha nascer com mais poderes que ele e tirar-lhe o trono. Após alguns anos, Zeus, com uma fortíssima dor de cabeça, solicitou que Hefesto lhe acertasse com um machado. Desta maneira, Atena, já adulta, saltou de dentro do cérebro do pai. Certa vez, Atena e seu tio, Poseidon, disputaram o posto de padroeiro(a) de uma importante cidade grega. Ela ganhou um concurso e a localidade foi batizada com o nome de Atenas. Atena foi reconhecida como a deusa da capacidade de reflexão, prudência e poder mental, além de amante da beleza e da perfeição.

AFRODITE, A DEUSA DO AMOR

Uma das personagens mais famosas da mitologia grega, Afrodite é deusa do amor, da beleza e do sexo. Ela é correspondente a Vênus na mitologia romana. Era extremamente cultuada em cidades como Esparta, Atenas e Corinto.

Historicamente, há duas versões sobre o seu nascimento, que teria ocorrido na ilha de Chipre. Para Hesíodo, Afrodite nasceu de

A pintura "O Nascimento de Vênus" (Sandro Botticelli, 1484) retrata Afrodite, a deusa do amor

um modo bastante raro. O autor afirma que, após Cronos cortar os órgãos de Urano (seu pai) e jogá-los no mar, foi formada ao redor destes órgãos uma espuma branca que, misturada à água salgada, originou Afrodite. Já Homero explica simplesmente que a deusa do amor era filha de Zeus e Dione (deusa das ninfas).

Casada com Hefesto, deus do fogo, não se manteve fiel ao esposo. Muito pelo contrário: teve incontáveis amantes. Eram casos extraconjugais com homens mortais e outros deuses. Destes romances foram gerados diversos filhos.

Mesmo sendo conhecida como a deusa do amor, Afrodite tinha muitos inimigos, como Hera e Atena.

As festividades que homenageavam Afrodite tinham como sacerdotisas as chamadas prostitutas sagradas. As relações sexuais com elas eram tidas como um ritual de adoração. Afrodite foi retratada no período renascentista por diversos pintores, como Sandro Botticelli, autor da obra "O nascimento de Vênus".

ARES, O DEUS DA GUERRA

Ares, filho de Zeus e Hera, é conhecido como o deus grego da guerra. Era famoso por sua sede de sangue. Herdara a força do pai e o gênio ruim da mãe. Ele, que governava a cidade de Esparta, apreciava bastante as batalhas e brigas. O deus da guerra ostentava um caso de amor proibido com Afrodite. Entre os filhos que teve com a mulher de Hefesto, dois o acompanhavam nas guerras: Deimos e Fobos.

Contudo, o marido de Afrodite descobriu a traição e decidiu preparar uma emboscada para ambos. Ele colocou uma rede invisível na cama, os prendeu e o flagra foi presenciado por todos os outros deuses. Depois de soltos, eles separaram-se. Ares, como deus romano, gerou com Reia os gêmeos Remo e Rômulo.

Nas batalhas, sua principal inimiga era a deusa Atena, uma estrategista. Ares tinha um perfil bem diferente e preferia lutas mais sangrentas. Foi derrotado por Atena em diversas ocasiões.

Utilizava durante as guerras uma lança, escudo, capacete e couraça. Também dispunha de uma carroça movida por quatro animais semelhantes a cavalos que soltavam fogo pelas narinas.

ÁRTEMIS, A DEUSA DA CAÇA

Ártemis, irmã gêmea de Apolo, era a divindade responsável pela caça. Ele representava a luz do sol, enquanto ela simbolizava a lua. A mãe dela fora perseguida por Hera. Leto, esperando os dois filhos, chegou refugiada à ilha de Delos e deu à luz no monte Cinto. Primeiro veio Ártemis, que recebeu como presente do pai arcos e flechas de prata. Na sequência, Apolo ganhou os mesmos itens, mas feitos de ouro.

A mitologia grega conta que, quando criança, ela pediu ao pai que realizasse o seu maior desejo em comemoração ao aniversário. Ártemis solicitou que tivesse o poder de andar livremente nas matas, em meio aos animais selvagens. O outro pedido foi que estivesse livre da obrigação de se casar. Seus dois desejos foram tornados realidade. A deusa da caça era particularmente adorada pelas ninfas e dançava com elas nas florestas sob a luz da lua.

POSEIDON, O DEUS DO MAR

Poseidon, o deus do mar, era forte e ostentava uma volumosa barba. Ele habitava as profundezas marinhas. Com seu famoso tridente, fazia brotar água do solo e gerava grandes maremotos. Entre os romanos, era conhecido como Netuno.

Era marido de Anfitrite. Com ela, teve um filho chamado Tritão. Além de sua esposa, o deus do mar teve muitas outras amantes durante a vida. Com esses amores fora do casamento gerou outros filhos, alguns conhecidos pela crueldade. Os mais notórios foram Ciclope e o gigante Órion. Poseidon também é o pai de Pégaso, cavalo alado gerado por Medusa.

Conta-se ainda que, na Guerra de Troia, Poseidon auxiliou o rei na edificação dos muros da cidade. Pela ajuda, foi prometida uma recompensa, que nunca se cumpriu. Com muito ódio, vingou-se de Troia enviando uma criatura do mar para saquear aquela terra. O deus do mar era celebrado através dos jogos místicos, competições que ocorriam de dois em dois anos.

HEFESTO, O DEUS DO FOGO E METAL

Hefesto, o deus do fogo, era também notoriamente conhecido como o protetor de atividades relacionadas ao metal. Ele nasceu com uma aparência bastante feia e portador de nanismo. Por conta disso, Hera, sua mãe, teria jogado Hefesto nas águas do mar. No entanto, a deusa Tétis, em um gesto de generosidade, o recolheu.

Após ser cuidado por Tétis durante nove anos, ele desenvolveu a habilidade de trabalhar com metais e joias. O deus do fogo produzia os trovões e raios de Zeus por meio dos poderes que carregava consigo. Hefesto ainda elaborou o Tridente de Poseidon, as flechas de Apolo, além da armadura de Aquiles na Guerra de Troia.

DEMÉTER, A DEUSA DA AGRICULTURA

Na mitologia grega, Deméter era quem garantia nutrientes para a terra e o consequente sucesso da agricultura do país. Além disso, tinha a função de protetora dos casamentos e gestações.

A história conta que ela teve sua filha Perséfone raptada por Hades, que habitava no inferno. Lá, os dois se casaram. Apesar disso, Deméter conseguiu que a filha estivesse uma parte do tempo com ela e a outra com o marido nas profundezas do inferno.

Segundo os escritos, nos momentos em que Perséfone estava com a mãe, a primavera predominava na terra. Por sua vez, quando retornava para a habitação de seu marido, o inverno dava as caras.

A deusa da agricultura viajou inúmeras vezes ao lado de Dionísio para ensinar e ajudar os homens a cuidarem da terra e das plantações.

HÉSTIA, A DEUSA DA CHAMA SAGRADA

A filha de Cronos e Reia era considerada a deusa virgem da família. Héstia representava a chama que permanecia acesa nos lares gregos. Esse fogo, segundo a mitologia, era uma simbologia de luz e paz. Dessa forma, a chama da deusa teria que ficar permanentemente acesa tanto nas casas quanto nos templos.

Uma das principais funções dela era indicar a importância da família na vida social na Grécia Antiga. Era pouco presente em obras de arte. Quando representada em pinturas, aparecia com um vestido branco e um véu que cobria a face. As roupas alvas demonstravam sua pureza.

Sempre que uma cidade grega era inaugurada, o povo daquela localidade acendia uma fogueira no lugar onde ficaria o centro político. Foi a maneira que encontravam para alcançarem a proteção da deusa.

Deméter, deusa da agricultura, representada em estátua de mármore, na Ucrânia

HERMES, O MENSAGEIRO DOS DEUSES

Chamado também de deus dos viajantes e da adivinhação, Hermes era considerado patrono de ladrões e trapaceiros. Além de mensageiro dos deuses, o filho de Zeus e da ninfa Maia foi um fiel emissário do mundo das trevas.

Segundo a mitologia, Hermes, quando criança, saltou de seu berço e roubou o rebanho do irmão Apolo. Para despistá-lo, calçou suas sandálias ao contrário com o intuito de que o irmão fosse pelo caminho errado. Com medo de ser enganado novamente, Apolo ordenou que Hermes jurasse que nunca mais o iludiria. Em troca, prometeu torná-lo rico, honrado e hábil em tudo o que fizesse honestamente. Assim, com a promessa cumprida, Hermes transformou-se no mestre dos quatro elementos.

Durante muito tempo, foi cultuado na Grécia como o deus da fertilidade, dos rebanhos, da magia e das viagens. Tornou-se ainda patrono das almas dos mortos que seguiam para o inferno.

A MITOLOGIA E SEUS HERÓIS

Apesar da presença soberana dos seus inúmeros deuses, a mitologia grega é destacada também por seus heróis. Alguns são filhos dos próprios deuses com humanos. Os mais importantes nomes são Aquiles, Odisseu e Heracles (Hércules, para os romanos).

Conforme narrado no livro Ilíada, Aquiles foi personagem da Guerra de Troia. A história conta que ele foi mergulhado no rio Estipe por Tétis, sua mãe, para que se tornasse imortal. Para tanto, Tétis o segurou pelos calcanhares, que permaneceram como as únicas partes vulneráveis dele.

CLASSE INFERIOR DOS DEUSES GREGOS

Além dos 12 deuses da classe superior, a mitologia grega ainda cita três divindades consideradas inferiores: Hades, Dionísio e Pã.

Hades, irmão de Zeus, é conhecido como o deus do inferno. Ele tinha domínio sobre o reino dos mortos, um lugar repleto de tristeza e dor. Alcançou esse posto por meio de batalha contra os titãs, vencida ao lado de Poseidon e Zeus.

Já Dionísio (Baco, para os romanos) era o deus do vinho e do prazer. A ele foi transmitida a arte de cultivar uvas.

Outra divindade inferior é Pã, o deus das florestas. Era considerado um protetor de bosques e pastores. Teria nascido com chifres e pernas de bode.

As ninfas, por sua vez, eram vastamente conhecidas como as grandes guardiãs da natureza. Elas representavam também as artes e as ciências.

Estátua de Aquiles ornamenta jardins do Palácio Achilleion, na Grécia

7
SAÍDA PELO MAR

A GRÉCIA ANTIGA SUPEROU AS DIFICULDADES IMPOSTAS POR SEU RELEVO MONTANHOSO E INVESTIU NAS INCURSÕES MARÍTIMAS PARA EXTRAPOLAR FRONTEIRAS E EXPANDIR SEU COMÉRCIO

Uma economia que se movia segundo as características geográficas do país. Assim era a Grécia Antiga. O relevo montanhoso tornou-se um desafio a ser transposto para a realização de transações comerciais na época. A difícil situação fez com que surgissem pequenas e esparsas comunidades naquela região.

Mas as dificuldades não arrefeceram sua economia. Muito pelo contrário. Os gregos buscaram uma alternativa viável, e o mar foi a saída encontrada. As transações marítimas tornaram-se aliadas importantes na economia da Grécia Antiga.

A metrópole tinha como principais produtos para exportação os artigos de cerâmica, vinho e também o azeite. Já as suas colônias trabalhavam no fornecimento de itens como metais, madeira, cereais, peles e lãs. No geral, a agricultura e o artesanato foram as mais importantes e notórias atividades das cidades-estado. Apesar das barreiras naturais, a economia da Grécia Antiga podia ser considerada bastante dinâmica. Tanto que é destacada como uma das civilizações da antiguidade com maior desenvolvimento econômico.

AGRICULTURA E PECUÁRIA

Pode soar estranho o fato de a agricultura ter tamanha importância em uma nação com um terreno tão montanhoso. Contudo, a história mostra que a atividade foi bastante exercida nos chamados vales férteis. Com o tempo, as vastas plantações – usadas como uma forma de subsistência – compuseram a base da economia grega.

Entre os produtos mais cultivados estavam azeitonas, uvas e cereais. As uvas tinham como principal destino a produção de vinhos e as azeitonas se transformavam em litros e mais litros de azeite. Eles colhiam a cevada e o trigo na primavera. O outono era a época de a colheita ser feita entre as oliveiras e as videiras.

Os vegetais, ervas e frutas – em especial, maçãs, figos e romãs – também faziam parte da cultura agrícola da Grécia Antiga. Entretanto, o crescimento populacional interno, principalmente a partir do século V a.C., fez com que se tornasse necessário importar inúmeros gêneros agrícolas.

ARTESANATO

Além da importância artística evidente, o artesanato configurou-se como uma atividade econômica de enorme relevância na Grécia Antiga. Os artífices eram os responsáveis pela maior parte dos produtos elaborados no país. Homens livres e servos muitas vezes trabalhavam lado a lado, recebendo os mesmos salários. Em geral, os artesãos confeccionavam mercadorias das mais variadas. Eram armas, ferramentas diversas, móveis, objetos de cerâmica – telhas, pratos e potes –, joias, sapatos, tecidos de lã, entre outros.

As ânforas decoradas notabilizaram-se como um dos principais elementos do artesanato local. Elas eram usadas, sobretudo, para transportar líquidos, como perfumes, vinho e azeite. À época, a cerâmica grega era considerada a melhor de todo o mundo antigo. Mileto, Corinto e Rodes eram grandes centros de cerâmica. Já Atenas e Mégara estavam entre as mais importantes cidades produtoras de tecidos. A população de Tasos ganhou fama por conta de seu ouro e o povo de Atenas por sua prata. Corinto confeccionava itens de bronze e Cálcis, objetos de cobre. Diversas cidades possuíam estaleiros. A maioria das localidades tinha fábricas de pequeno porte que produziam couraças, mobília e utensílios para cozinha.

Já outras localidades acabaram se tornando famosas por produzirem itens muito específicos. Cirene, por exemplo, cultivava silphion, uma planta medicinal. Citera era extremamente conhecida pelo corante púrpura. Tânagra era produtora de estatuetas de barro com o formato de pessoas e animais. Já os azeites de melhor qualidade eram encontrados em Lesbos e Atenas.

A atividade agrícola ocorria nas planícies da Lacônia e Messênia, no sul do país. Contudo, em outras localidades da Grécia, os próprios agricultores cultivavam suas terras. Eles formavam terraços nas pequenas propriedades que jaziam nas encostas das colinas. Os gregos realizavam um trabalho de agricultura manual. Utilizavam arados precários com tração animal – geralmente bois – e enxadões. Eles cultivavam somente parte dos campos durante o ano. A outra parte permanecia descansando para que a terra continuasse fértil. Eles, no entanto, nunca irrigavam o solo e pouco usavam o advento dos fertilizantes.

Por outro lado, a pecuária não teve o mesmo sucesso de desenvolvimento entre os gregos. Isso pode ser explicado pelo pouco espaço disponível para o pasto. Nesse contexto, as criações de ovelhas e cabras eram as mais importantes. As produções especializadas de Atenas ou de Mileto, o centro produtor de lã, eram apenas casos isolados. As unidades de produção agrícola e pecuária utilizavam tanto a mão de obra livre como também a escrava.

A VIDA NA ANTIGA GRÉCIA

Aqueduto em Creta: sistema era a base do abastecimento de água e ajudava a economia

ABASTECIMENTO DE ÁGUA

O sistema de abastecimento na Grécia Antiga era composto por aquedutos, espécie de trincheiras e túneis usados para o transporte de água. O aqueduto de Eupalinos, em Samos, é considerado uma das mais impressionantes obras da antiguidade grega. A cidade é, na realidade, uma ilha, localizada no Mar Egeu, que fica a cerca de dois quilômetros da costa da Turquia.

O aqueduto de Samos tem 1.036 metros de comprimento e atravessa a montanha de Kastron. Ele foi construído na época do tirano Polícrates (550 a.C.). Ele se preocupava com o abastecimento de água na cidade, que apresentava uma população crescente. O túnel foi aberto para que fosse trazida água da nascente da fonte Agiade, que ficava do outro lado da montanha.

Outra invenção grega que revolucionou o sistema de abastecimento de água foi o chamado parafuso de Arquimedes. Ele criou esse dispositivo, destinado a levar a água de um nível mais baixo para um mais alto, por meio do uso de um tubo com um parafuso interno. À medida que o tubo virava, as voltas do parafuso coletavam a água, empurrando-a para um tanque de armazenamento. O parafuso era acionado pela força humana, através do trabalho de um escravo que o fazia girar.

Essas invenções desenvolvidas na Grécia antiga ajudaram a economia e deram acesso a um fornecimento mais higiênico de água.

O COMÉRCIO E O MAR

O sistema de transporte na Grécia Antiga era rudimentar e dificultado ainda mais pelas cadeias de montanhas que separam os vales. Os gregos transportavam suas mercadorias das mais diferentes formas. Empregavam bois, cavalos, burros e carroças. Em casos extremos, os produtos eram carregados nas costas.

Havia ainda poucas estradas e pontes. Para piorar, assaltantes ficavam à espreita em veredas isoladas nas montanhas.

Mas se, por um lado, o relevo montanhoso transformou-se em um empecilho para certas atividades comerciais gregas, a geografia auxiliou a região na consumação das transações marítimas. O litoral recortado e a grande quantidade de ilhas favoreceram os contatos comerciais, via mar, com as colônias gregas na Ásia Menor, Sicília, cidades ao longo do litoral do Mar Negro e, especialmente, com o Egito.

Por meio dessas transações, os gregos importavam com mais frequência especiarias, trigo, linho, resina, papiro – a maior parte proveniente dos egípcios – e madeira. Esse contato mais próximo dos gregos com as civilizações vizinhas ajudou e muito no suprimento das cidades-estado gregas. Além disso, foram determinantes para a diminuição de conflitos agrários, enriquecimento dessas localidades e expansão cultural.

Dentro desse desenvolvimento, os mercadores da região de Rodes instituíram um sistema de leis marítimas, que mais tarde foi adotado também pelos romanos. Essas normas moldaram a base de toda a legislação marítima que vigoraria em seguida.

MOEDA

Mesmo com a introdução das moedas no século VI a.C., foi mantida durante um bom tempo a utilização da troca direta na vida cotidiana da Grécia Antiga, assim como ocorre em mercados mais simples e pouco exigentes, onde há níveis de produtividade relativamente mais baixos.

Todavia, de maneira lenta, o sistema de câmbio de produtos abriu espaço cada vez maior à economia monetária. O comércio grego ganhou mais dinamismo com a adoção, por parte de várias cidades-estado, de moedas de metal – feitas de liga de ouro, prata, bronze, chumbo e cobre, todos classificados como materiais preciosos. O surgimento da moeda é considerado o grande marco na economia da época.

A técnica de cunhagem de moedas de metal – processo pelo qual as peças são gravadas – teve início, aproximadamente, no século VI a.C. nas cidades de Egina e Atenas. Nelas eram impressas imagens de heróis e deuses cultuados pelos gregos.

As moedas não só serviam à população para vender e comprar mercadorias, mas eram ainda utilizadas como uma fonte de renda. A primeira cunhagem é atribuída ao reino de Lídia, na época de Creso (por volta de 547 a.C.), tomando como proveito a ampla oferta de ouro do território.

ECONOMIA ATENIENSE

Durante os séculos V e IV a.C., Atenas era não só a maior, mas também a mais rica cidade da Grécia Antiga. Relatos dão conta de que o volume comercial externo – a soma das importações e exportações das cidades do Império Ateniense – chegava ao valor de 180 milhões de dracmas áticos. Como comparação, esse montante é duas vezes maior do que o orçamento do governo do Império Persa no mesmo período histórico.

Manter a escravidão em Atenas foi o fator determinante tanto para o desenvolvimento da economia como para a consolidação da democracia, o que possibilitava uma situação política mais equilibrada, já que as camadas populares da sociedade ateniense tiveram algumas de suas reivindicações atendidas. Com a preservação do trabalho escravo, a elite econômica continuava com grande disponibilidade de tempo para participar das assembleias e de outras atividades políticas.

O desenvolvimento de Atenas também foi alicerçado por sua liderança na guerra contra os persas. A direção militar ateniense e o controle sobre as riquezas destinadas à batalha aumentaram a produção na cidade, geraram empregos, equilibraram a economia e criaram condições de imposição do domínio sobre as outras cidades gregas.

OS NAVIOS MERCANTES GREGOS

Os comerciantes gregos utilizavam navios de madeira de pequeno porte para realizar o transporte de seus produtos. As embarcações mercantes não possuíam convés e eram conduzidas por meio de remo e vela. Em vários locais, esses navios eram puxados por cima de estreitas faixas de terra em trilhos especiais.

Eles se distinguiam dos vasos de guerra, navios de madeira, bastante estreitos e com proas feitas de metal, que eram usados como aríetes – máquinas de guerra empregadas para romper muralhas ou portões de fortalezas. No inverno, o comércio e os transportes cessavam quase que em sua totalidade na Grécia Antiga, pois a neve e as tempestades bloqueavam as vias terrestres e tornavam o mar muito perigoso.

8

DECLÍNIO DE ATENAS E DAS CIDADES-ESTADO

AS DISPUTAS INTERNAS, COMO AS GUERRAS MÉDICAS E DO PELOPONESO, FORAM O PONTO DE PARTIDA PARA A DERROTA DO IMPÉRIO GREGO PELOS MACEDÔNIOS

O período helenístico é uma importante fase da história da Grécia Antiga e de parte do Oriente Médio, que tem início em 336 a.C. – ano do avanço de Alexandre, o Grande, da Macedônia – e término no século I a.C., quando o Egito, último reino helenístico, é anexado pelo Império Romano. Esse momento foi um marco entre o domínio da cultura grega e o aparecimento da civilização romana.

Nessa época, houve uma clara diminuição da relevância do atual território da Grécia dentro da região de fala grega. Tanto que os dois principais núcleos da cultura helenística eram Antioquia, capital da Síria selêucida, e Alexandria, capital do Egito ptolemaico. Havia ainda outros centros importantes, mas todos estavam fora da Grécia continental. Eram os casos, por exemplo, de Esmirna, Éfeso, Pérgamo e Selêucia do Tigre.

O período helenístico notabilizou-se, principalmente, pelo desenvolvimento da ciência e do conhecimento. Síria, Macedônia e Egito são os mais diretamente impactados. Posteriormente, com o avanço de Roma, os três reinos são absorvidos pela nova potência, abrindo espaço para a época que demarca o final da Antiguidade.

O AVANÇO MACEDÔNIO

A importância do território grego – não de sua cultura – começou a ser minada após as guerras Médicas e do Peloponeso, que ajudaram a enfraquecer as cidades-estado. Essas duas batalhas aniquilaram parte das pequenas populações, as localidades tiveram

Moeda de ouro estampa a face do rei da Macedônia, Filipe II

suas infraestruturas destruídas e, consequentemente, as atividades comerciais e agrícolas ficaram extremamente prejudicadas. Além dessas perdas humanas e econômicas, os conflitos afetaram gravemente o contingente militar que fica a postos para proteger a Grécia de possíveis invasões estrangeiras.

Assim, o monarca da Macedônia, Filipe II, viu no declínio grego uma excelente oportunidade de conquistar as cidades-estado. O território macedônio ficava situado ao norte da Grécia, em uma faixa de terra considerada bastante pequena. A população era composta, basicamente, por descendentes dos gregos primitivos, que sobreviviam do pastoreio e também da agricultura.

A realidade é que o processo de modernização da Macedônia teve início com o próprio Filipe II. Ele assumiu o poder em 356 a.C. e, desde então, instaurou diversas reformas internas. Conhecendo as rivalidades que existiam entre os estados gregos, Filipe II começou a esboçar a conquista da Grécia. No ano de 338 a.C., ele superou os gregos na chamada Batalha da Queroneia. No entanto, pouco tempo depois, em 336 a.C., o rei veio a falecer.

O trono é assumido pelo filho de Filipe II, Alexandre Magno, que controla a revolta grega iniciada após a morte do pai. Nessa época, ganha descomunal força o plano de conquista do Oriente. O projeto, aliás, não era novo. Os próprios gregos já sonhavam em tomar para si os tesouros persas, como vingança dos ataques de Dario e Xerxes, e ampliar além do mar Egeu o domínio territorial.

Com apenas 20 anos de idade, aquele que se tornaria conhecido como Alexandre, o Grande virou imperador. Era considerado um grande militar e um dos maiores guerreiros da Antiguidade. Bastante novo, com apenas 18 anos, ele se destacou como o comandante de uma das alas do exército da Macedônia na própria Batalha de Queroneia.

Mas Alexandre não demonstrava desenvoltura somente nas guerras. Era dotado ainda de um excelente potencial de intelecto, entre outras razões, porque teve uma criação baseada na cultura grega. Havia sido educado por Aristóteles, um dos principais filósofos da Grécia Antiga. Teve ainda contato com a cultura oriental por meio dos muitos povos que compunham o domínio macedônio. No ofício de imperador, ele conseguiu superar não apenas as obras de seu pai, mas as de quase todos os monarcas do Oriente.

REBELIÃO DE TEBAS

Por causa da pouca idade de Alexandre, os gregos acreditavam que a libertação não seria difícil. Contudo, estavam menosprezando a capacidade do jovem imperador.

Em 335 a.C., quando o rei acabara de retornar de sua perseguição aos ilírios, chegaram a ele as primeiras informações sobre um movimento revolucionário em Tebas com o auxílio de Atenas. Os exilados, ao voltarem à cidade por meio de convite de seus partidários, tinham assassinado dois macedônios inocentes da guarnição. Eles, então, espalharam que Alexandre havia morrido na Ilíria e persuadiram os tebanos a se revoltarem por liberdade.

Logo, o imperador percebeu que a rebelião poderia ser bastante perigosa. Fazia algum tempo que ele suspeitava de cidades como Atenas, Esparta e Etólia. Assim, marchou tão velozmente com o exército imperial em direção a Tebas que os locais sequer tiveram conhecimento de sua aproximação.

Ao chegar lá, Alexandre ainda aguardou um pouco mais antes de atacar, pois esperava que eles se rendessem. Entretanto, os tebanos decidiram atacar o acampamento macedônio e mataram alguns soldados.

Mesmo com as investidas dos rebelados, Alexandre ainda retardou os ataques, que, ao final, teriam resultado na morte de 6 mil e captura de outras 30 mil pessoas.

Segundo historiadores, a derrota para os macedônios teria vindo em somente dois dias. O rei mandou destruir quase que por completo a cidade, ficando intacta só a residência onde vivera o poeta grego Píndaro, extremamente admirado por Alexandre.

EXPANSÃO DO TERRITÓRIO MACEDÔNIO

Diante das frustradas tentativas de revolta dos gregos colonizados, Alexandre, o Grande trabalhou ainda mais na extensão de seu

---

VOCÊ SABIA?

Ao contrário do que se pode imaginar, o termo helenismo foi utilizado pela primeira vez somente no século XIX por Joham Gustav Droysen, um historiador alemão. O significado da palavra remete à ideia de "viver como os gregos".

domínio. Partiu em direção à África e Ásia. Avançou e conquistou parte da Índia, todo o império persa, a Fenícia e também o Egito. Ele ainda nutria em seu coração o desejo de suplantar as cidades que se estendiam até a região do rio Ganges. A história conta, porém, que seus soldados já se encontravam exaustos diante das várias batalhas consecutivas e não quiseram dar prosseguimento ao plano do imperador.

Mesmo sem a anexação dessas outras terras, a Macedônia já havia se transformado no núcleo de um dos maiores domínios do mundo antigo, o Império de Alexandre.

INTEGRAÇÃO CULTURAL

A prova mais clara da inteligência de Alexandre, o Grande era a sua capacidade de gerenciar um ambiente tão eclético. Como imperador, ele decidiu respeitar as diferentes religiões e instituições políticas. Além disso, incentivou o casamento entre vencedores e vencidos. O imperador permitiu ainda que jovens persas participassem dos exércitos greco-macedônicos. Outra tática utilizada foi a fusão entre os povos, visando acabar com as contendas e desigualdades entre cada um deles.

Dessa forma, ele buscava montar um cenário propício para a integração cultural dentro do enorme império conquistado. Como resultado mais destacado desse longo trabalho surgiu a cultura helenística, originária da fusão da cultura grega – ou helênica – com a oriental.

MORTE DE ALEXANDRE E DIVISÃO

A causa da morte de Alexandre, o Grande, em 323 a.C., na Babilônia, gera algumas discussões. Alguns acreditam que o imperador tenha contraído malária. No entanto, outros historiadores afirmam que a morte parece estar muito mais relacionada com aquilo que foi chamado de vírus do Nilo Ocidental. Alexandre teria sido acometido por febre muito alta ocasionada por uma infecção. Há outra teoria mais curiosa, que dá conta de que a morte foi motivada por um grave desarranjo intestinal.

De qualquer forma, o óbito gerou mudanças profundas no Império da Macedônia. As lutas internas tornaram-se constantes e o território conquistado foi dividido entre vários generais. Dessa ma-

Cidade de Corinto, onde Flaminius anunciou uma "falsa liberdade" 0às cidades gregas

neira, formaram-se três grandes reinos: Síria (composto por Síria, Ásia Menor, Mesopotâmia e Pérsia); Egito (que abrangia Egito, Fenícia e Palestina); e Macedônia (englobada por Macedônia e Grécia).

Tais divisões geraram particularidades em alguns setores. Na política, os novos impérios adotaram costumes das monarquias orientais. Na economia, foram abertas novas rotas de comércio e houve a ampliação da circulação de especiarias e produtos de luxo, que foram difundidos também no Ocidente. Cidades como Alexandria, Antioquia e Pérgamo se transformaram em grandes centros de produção de cerâmica, tecidos, metalurgia e construção naval. Já no campo cultural, houve mudanças bastante significativas: a tradição grega se fundiu com as orientais – babilônica, egípcia e persa – e deu origem à cultura helenística.

REVOLTAS E CONFEDERAÇÕES

A notícia da morte de Alexandre, o Grande inflamou a cidade de Atenas e também suas aliadas (as populações da Grécia Central e do Peloponeso, exceto Esparta). Foi então organizada uma revolta contra a Macedônia, mas a derrota dos rebelados ocorreu em apenas um ano, na Guerra Lamíaca.

As divisões estabelecidas no Império Macedônio colocaram Grécia, Trácia e Anatólia sob a dinastia antigônida, que era um grupo de reis helênicos que descendiam de Antígono Monoftalmo, general de Alexandre. Outras rebeliões nas cidades-estado também foram registradas durante essa época de controle macedônio. Pérgamo, Rodes, Atenas e certos estados gregos se uniram à Liga da Etólia (ou Confederação da Etólia) com o intuito de defenderem a bandeira da independência.

Já a Confederação de Acaia estava, em teoria, sujeita à dinastia ptolomaica – que dominava o território do Egito após a morte de Alexandre, o Grande. No entanto, essa Liga controlava a maioria do sul da Grécia e atuava de modo bastante independente. Por outro lado, Esparta, apesar de também caminhar no sentido da independência, se recusou a fazer parte de qualquer confederação.

No ano de 267 a.C., o então rei do Egito, Ptolomeu II, conseguiu persuadir as cidades gregas a se revoltarem contra a Macedônia, o que originou a Guerra de Cremônides, denominada dessa maneira por causa do líder ateniense Cremônides. Porém, os gregos sofreram nova derrota e Atenas, consequentemente, perdeu a sua independência e as instituições democráticas. O revés fez com que chegasse ao fim a era de Atenas como uma forte e influente agente política da antiguidade. Contudo, a cidade continuou sendo a maior e mais rica de toda a Grécia.

Doze anos mais tarde, em 255 a.C., a Macedônia liderou uma contundente vitória sobre a frota egípcia na ilha de Cós e aumentou o seu domínio sobre todas as outras ilhas do Egeu, com exceção de Rodes.

Por sua vez, Esparta prosseguiu sendo inimiga dos Aqueus. Assim, em 227 a.C., acabou invadindo a Acaia e tomou o controle daquela confederação. Os aqueus que restaram decidiram se distanciar de vez da Macedônia e ter Esparta como principal aliada. Mas, no ano de 222 a.C., as tropas macedônias suplantaram o exército espartano e anexaram a cidade. Essa fora a primeira vez que Esparta foi ocupada por algum poder estrangeiro.

Filipe V, da Macedônia, foi o último governante grego a dispor de talento e também de oportunidade para tentar unir a Grécia como um todo e preservar a sua independência diante do poderio romano e a consequente ameaça de uma guerra de extermínio. Em 2017 a.C., um pacto de paz colocou fim aos conflitos entre a Macedônia e as confederações gregas. Nesse momento, Filipe V já possuía controle de quase toda a Grécia, menos Atenas, Rodes e Pérgamo.

AS GUERRAS MACEDÔNIAS

Dois anos depois do acordo de paz, Filipe forjaria um acordo de união com Cartago, o inimigo de Roma. Instantaneamente, os romanos trabalharam para seduzir as cidades aqueias e conseguiram o apoio que precisavam. A Acaia abandonou a lealdade a Filipe. Roma também fez importantes alianças com Rodes e Pérgamo, considerado o principal poder da Ásia Menor.

Não demorou muito para o clima de tensão elevar-se. A Primeira Guerra Macedônica eclodiu no ano de 214 a.C. e durou até 205 a.C., mas não houve um lado declaradamente vitorioso. Mesmo assim, os macedônios ficaram profundamente marcados como inimigos romanos.

Em 202 a.C., Roma derrotou impiedosamente Cartago. Após a vitória, seus olhos voltaram-se para o Oriente. Estouraria, então, em 198 a.C., a Segunda Guerra Macedônica. As razões eram bastante obscuras, mas a realidade é que os romanos enxergavam a Macedônia como um aliado em potencial dos Selêucidas, que representavam o maior poder oriental da época.

BATALHA DOS CINOSCÉFALOS

Na Grécia, Filipe perdeu seus aliados, que desertaram. Em 197 a.C., ele finalmente foi vencido pelo cônsul de Roma, Titus Quinctius Flaminius, na Batalha de Cinoscéfalos. Mas os gregos contavam com a simpatia de Flaminius, conhecido como um homem bastante moderado e, além disso, um confesso admirador da cultura grega. O fato de ele conhecer e falar o idioma grego, aliás, fez com que muitos dos aliados de Filipe debandassem para o lado de Flaminius. Assim, Filipe precisou também se aliar aos romanos para ser poupado.

FALSA LIBERDADE

No ano de 196 a.C., durante os Jogos Ístmicos – uma festa em honra a Poseidon, o deus do mar –, em Corinto, Flaminius declarou, para o efusivo entusiasmo de todos, a independência das cidades gregas. Na teoria, apesar de as guarnições romanas ainda estarem entre os coríntios e na Calcídica, as localidades estariam livres.

O DOMÍNIO MILITAR ROMANO

A Grécia havia entrado em total declínio de suas forças militares. Assim, os romanos não tiveram que fazer tanto esforço para conquistar todo o território.

O início do governo de Roma sobre os gregos é datado, convencionalmente, a partir do saque de Corinto, em 146 a.C., por Lucius Mummius. Contudo, a Macedônia já havia caído sob o controle romano no ano de 168 a.C., com a derrota do rei Perseu, na cidade de Pidna.

A partir desse momento, os romanos fracionaram a região em quatro repúblicas menores. Em 146 a.C., a Macedônia já era uma província romana, o que fazia de Tessalônica a sua capital. As demais cidades-estado gregas, paulatinamente, também enterraram sua autonomia e sucumbiram a Roma. Ainda assim, os romanos mantiveram a administração local a cargo dos próprios gregos e não buscaram intervir no padrão de política tradicional institucionalizado há muito tempo. Dessa forma, a ágora em Atenas seguiu como o centro da vida civil e cultural.

A Grécia se manteve como parte da metade oriental do domínio de Roma, que posteriormente se tornaria o chamado Império Bizantino. A península grega, aliás, teria sido uma das regiões mais desenvolvidas do Império Romano. De acordo com os historiadores, ela continuou próspera até, pelo menos, o século VI d.C. por conta da tradição de desenvolvimento urbano do oriente grego.

CULTURA GREGA CONQUISTA O IMPÉRIO

Se, militarmente, os romanos mostraram sua superioridade, por outro lado a cultura grega também havia conquistado seus adeptos. Apesar do encerramento de uma era, alguns aspectos do helenismo permaneceram no Império Romano por muitos anos.

Tanto que na região da Palestina, também dominada pelos romanos, apesar de o aramaico ser a língua popular no primeiro século, os hábeis comerciantes judeus utilizavam o idioma grego para atenderem bem aos seus fregueses e venderem suas mercadorias. Outro caso evidente de influência helenística é o Novo Testamento, que foi escrito em uma vertente popular do grego, o koiné.

Essa influência cultural duradoura pode ser explicada pelo fato de os próprios romanos terem sido dominados pelos gregos e submetidos ao helenismo anteriormente. Assim, a cultura da Grécia Antiga foi perpetuada pelo Império Romano.

9

O AVANÇO DAS IDEIAS GRECO-ROMANAS

COSTUMES E PENSAMENTOS DOS DOIS POVOS SE FUNDEM E INFLUENCIAM O OCIDENTE

Gravações antigas das letras gregas em rocha: idioma foi estudado pelos romanos na época do Império

À primeira vista, a ascensão do Império Romano poderia significar a homogeneização da cultura das localidades dominadas. O mais forte militarmente imporia seus hábitos. No entanto, não foi bem isso o que aconteceu. Ao menos com relação à Grécia Antiga. Abatidos fisicamente pelos romanos, os gregos são conhecidos por terem influenciado culturalmente os donos do novo Império.

Segundo o poeta latino Horácio (século I a.C.), "a Grécia capturada conquistou o orgulhoso conquistador". Uma prova bastante clara disso é que os deuses e suas incríveis histórias foram praticamente todos incorporados pelos romanos. Seus nomes, em geral, traduzidos. Zeus, por exemplo, tornou-se Júpiter. Afrodite transformou-se em Vênus e Poseidon virou Netuno.

Toda a região sul da Península Itálica e a Sicília foram colonizadas pelos povos gregos e, assim, formou-se a Magna Grécia. Além disso, os romanos conviveram com os gregos por vários séculos. Mesmo as histórias de Roma se inseriam na mitologia grega.

De acordo com os historiadores, a melhor explicação para essa influência dos gregos é o fato de que, quando duas culturas se encontram, aquela que é superior consegue se impor em relação à outra. Isso explicaria também a chamada europeização do mundo.

Sendo assim, a superioridade cultural da Grécia seria o fator determinante para a ocorrência do processo que culminou na adoção, por parte dos romanos, dos valores, costumes e ideais gregos. A esse acontecimento é dado o nome de helenização.

Porém, outro ponto de vista ressalta que o motivo para a absorção não seria essa proeminência grega com relação à cultura, mas sim a capacidade do povo romano de se adequar e transformar costumes e pensamentos diferentes dos seus.

Vale ressaltar que a elite romana estudava o grego, falava a língua helênica e a escrevia com perfeição. Além disso, colecionava obras de arte provenientes da Grécia. Contudo, o curioso é que eles mantinham certa distância dos colonizados. Um ditado romano daquela época fazia o seguinte alerta: "Cuidado com os gregos".

Escultura com a imagem de Júpiter, em Roma, na Itália

HELENIZAÇÃO

O fato inegável é que, após a conquista do território grego, no século II a.C., os romanos passaram por uma mudança de hábitos bastante acentuada. Aquela grandiosa civilização passou, então, a ser estudada mais a fundo pelos cidadãos de Roma. Não só o idioma da Grécia, mas também a literatura e a admirada filosofia. Não apenas peças de arte eram encomendadas, mas os professores gregos também começaram a ser procurados pelos romanos. Atenas manteve o seu status de cidade universitária, onde os romanos iam completar a sua educação em filosofia e retórica.

Com o tempo, os habitantes mais abastados da nação dominadora conheciam o idioma grego melhor até mesmo do que o latim. Como paralelo, pode-se dizer que a diferença de importância entre as duas línguas na época era a mesma que a do inglês para o português nos dias de hoje.

Curiosamente, os gregos, ainda que sobrepujados pelos conquistadores, não mostravam muita preocupação com o aprendizado do latim. Já os romanos começaram a utilizar o grego em tudo aquilo que se publicava no mundo de fala helênica. É importante lembrar

IMPERADOR MARCO AURÉLIO E SUAS "MEDITAÇÕES"

A influência grega na formação do imperador romano Marco Aurélio foi eternizada por meio de um caderno de escritos pessoais que ele, à época, tinha intitulado somente como "para mim mesmo". No entanto, tais anotações foram reunidas e formaram, tempos depois, postumamente, a obra "Meditações".

O conjunto de 12 livros traz muitas máximas sobre autoconhecimento e desenvolvimento pessoal de Marco Aurélio. Nesse trabalho, ele diz, por exemplo, que "o único modo que o homem pode ser dominado por outros é permitir que a sua própria reação tome conta de si". Outra reflexão diz que "uma ordem ou logos permeia o universo" e que "a racionalidade e a mente clara permitem viver em harmonia com esse logos".

Apesar de ter enfrentado algumas guerras e feito diversas perseguições, Marco Aurélio foi dono de uma administração famosa pelo sucesso e paz. Ele é avaliado como um dos "cinco bons imperadores romanos", ao lado de Nerva, Trajano, Adriano e Antonino Pio.

Além disso, era considerado um filósofo estoico e extremamente culto. A sua obra "Meditações" é comparada com outras literaturas muito estimadas, como as "Confissões", de Santo Agostinho. O ex-presidente norte-americano, Bill Clinton, tinha "Meditações" como um de seus livros de cabeceira.

que na Macedônia, Peloponeso, Ásia Menor, Síria, Palestina e Egito o grego era a língua oficial do Império. Além disso, mesmo se considerando romanos com o passar dos anos, os gregos não deixaram de ser também gregos, com seus costumes e idioma intactos.

Diante desse cenário, a cidade de Roma se tornou o mais novo e importante centro de cultura helênica. Lá, a medicina e o ensino da filosofia e da retórica, tão prezada pelos romanos, estavam nas mãos de gregos. Inclusive os próprios imperadores romanos reverenciavam a antiga cultura grega. Entre todos, Nero, Adriano e Marco Aurélio são considerados os mais notáveis.

ROMA: UM CALDEIRÃO CULTURAL

O interessante é que os demais povos conquistados – ao menos em sua maioria – não gozavam de um respeito tão elevado de Roma. Esses habitantes prosseguiam utilizando os seus idiomas e praticando seus costumes tranquilamente. No entanto, somente o latim era permitido, na prática, como idioma oficial de comunicação.

Por séculos, diversas línguas – casos do celta, na Gália, do egípcio, no Egito, e do aramaico, na Palestina – continuaram sendo usadas pelas populações daquelas regiões. Tampouco os galeses falavam latim.

Mas, com o passar do tempo, houve uma severa transformação no mundo romano. Todos aqueles povos distintos acabaram por se misturar, os pensamentos e costumes foram mesclados e o sincretismo tomou conta de boa parte daquela região. As ideias e valores se embaralhavam e havia uma interação constante.

PILARES DO PENSAMENTO GREGO

Não são poucos os aspectos que ajudaram a perpetuar o modo de pensar grego. Já em um ambiente greco-romano, tais ideias entraram em processo de transformação, mas não perderam sua essência. Os responsáveis por esses fortes pilares foram três: Sócrates, Platão e Aristóteles, que viveram entre os séculos V e IV a.C.

Conceitos como "nascimento das ideias" (Sócrates), "divisão entre plano espiritual e plano físico" (Platão) e a "imitação da realidade com o objetivo de buscar a perfeição" (Aristóteles) formaram a base do pensamento e questionamento que deixaria um legado para a cultura ocidental mais de 2 mil anos depois.

Tanto tempo depois, continuamos a nos inspirar em sua escultura realista, a representar seu teatro e a discutir a democracia como forma de governo. Além disso, nossa língua e nosso modelo de cristianismo permanecem carregados de incontáveis valores, termos e imagens gregas.

SOCIEDADE GRECO-ROMANA

Conhecer os aspectos do Império Romano é imprescindível para a compreensão dessa sociedade plural, pois, mesmo depois de todas as transformações que aconteceram nessa civilização no decorrer do tempo, algumas características foram mantidas, ainda que isso sempre trouxesse uma nova roupagem.

Contudo, duas consideráveis divisões sociais se mantiveram quase intactas: a dos cidadãos e não-cidadãos e a dos livres e não-livres.

Em linhas gerais, os livres eram divididos em dois grupos: os de nascimento livre e os ex-escravos alforriados. Os primeiros poderiam ser cidadãos romanos ou não-cidadãos, sendo que os cidadãos possuíam direitos não disponibilizados para outras classes.

Pintura representa conversa entre escravo e seus senhores

Dessa maneira, a sociedade romana era, ao mesmo tempo, conhecida por suas divisões e pela possibilidade de mobilidade dentro dessa escala. Ou seja, um escravo tinha a chance de deixar de ser escravo e um não-cidadão poderia virar cidadão. Outra alternativa era um escravo receber alforria e o filho dele se tornar um cidadão. Como cidadão, esse teria o direito, por exemplo, de ser eleito para exercer uma função de magistratura. Ao contrário do que podemos pensar, casos como esse aconteciam com certa frequência.

No período em que ocorreram as grandes conquistas territoriais, Roma também costumava classificar os cidadãos em ordens ou agrupamentos. Essas divisões eram feitas não só pela riqueza material, como ainda pelo reconhecimento social. Tais separações permaneceram na cultura greco-romana.

HELENISMO E CRISTIANISMO

Em 391 d.C., o Império Romano adotou o cristianismo como a sua religião oficial. Dessa maneira, os cultos denominados pagãos foram proibidos. Mesmo assim, a cultura clássica continuou muito importante e ativa. Isso foi possível graças ao sincretismo religioso. Principalmente nos círculos sociais mais influentes, ganham destaque os textos de Aristóteles e Platão – e até mesmo de autores romanos, como Virgílio, escritor da epopeia Eneida.

Dentro desse contexto religioso, a cultura cristã se sobrepôs à clássica, que teve sua base pagã reformulada com novas formas e contornos. Porém, a permanência de alguns aspectos da cultura

PÃO E CIRCO

Apesar desse cenário de mobilidade social, o sucesso das conquistas e o uso pesado do trabalho escravo fizeram com que crescesse significativamente o número de plebeus – cidadãos pobres – sem ocupação no Império Romano. Juntaram-se a esses os pequenos agricultores, que tiveram seu cultivo arruinado e também seguiram do campo para as cidades.

Assim, as áreas mais urbanizadas ficaram inchadas, principalmente a capital. Na tentativa de diminuir o problema da massa de desocupados que morava em Roma, o Estado decidiu pagar-lhes subsídios. Assim, os mais pobres recebiam alimentos a preços baixos e ainda podiam acompanhar espetáculos públicos gratuitos para se divertirem. Estava instaurada a "política do pão e circo".

grega ficava condicionada às regras dos dogmas cristãos. Só seriam aceitas práticas que não entrassem em conflito direto com as doutrinas do cristianismo, um universo totalmente monoteísta.

Assim, no ano de 394 d.C., os Jogos Olímpicos foram proibidos, pois eram vistos pela igreja e, consequentemente, pelo Estado como um culto pagão. O fato de ter sua origem vinculada aos diversos deuses da mitologia greco-romana afrontava as primícias de adoração a um único deus, o cristão. Tanto que a Olimpíada só foi retomada já na era moderna, em 1894, por meio da criação do COI (Comitê Olímpico Internacional) pelo educador francês Pierre de Frédy, o famoso Barão de Coubertin (1863-1937). A primeira edição dos Jogos Modernos ocorreria dois anos mais tarde na cidade de Atenas, em 1896.

NARRATIVAS BÍBLICAS E AS INFLUÊNCIAS DO IMPÉRIO

Segundo os relatos bíblicos, na Palestina dominada pelo Império Romano, Jesus e seus discípulos comunicavam-se em aramaico na vida cotidiana e a religião deles em nada estava relacionada com as crenças romanas. Os quatro evangelhos que contam a história do carpinteiro de Nazaré – Mateus, Marcos, Lucas e João – foram escritos em grego. Por outro lado, Jesus não realizava as suas pregações nem no latim, tampouco no idioma helênico.

Curiosamente, há apenas uma frase conhecida de Jesus em sua língua habitual, o aramaico. Essa sentença foi dita no momento de sua morte: "Eloí, Eloí, lamá sabactâni?". Traduzindo: "Deus meu, Deus meu, por que me desamparaste?" (Marcos 15.39).

Relatos como esses mostram que as possibilidades de comunicação, já naquela época, eram diversas.

Além disso, o livro sagrado cristão também mostra que uma boa condição social – leia-se sucesso financeiro – permitia que a cidadania romana fosse alcançada, inclusive pelos estrangeiros do Império. É o que mostra o diálogo entre o apóstolo Paulo – um rabino judeu da cidade de Tarso e falante do idioma grego – com um comandante romano. "Enquanto o amarravam a fim de açoitá-lo, Paulo disse ao centurião que ali estava: 'Vocês têm o direito de açoitar um cidadão romano sem que ele tenha sido condenado?'. Ao ouvir isso, o centurião foi prevenir o comandante: 'Que vais fazer? Esse homem é cidadão romano'. O comandante dirigiu-se a Paulo e perguntou: 'Diga-me, você é cidadão romano'? Ele respondeu: 'Sim, sou'. Então o comandante disse: 'Eu precisei pagar um elevado preço por minha cidadania'. Respondeu Paulo: 'Eu a tenho por direito de nascimento'" (Atos 22:25-28).

Além do encerramento dos Jogos, no ano de 529 as escolas de filosofia de Atenas foram fechadas por ordem do Imperador Justiniano. Muitos afirmam que o fatídico ano marcou o fim do vigor criativo da antiga cultura grega.

A MULHER NA SOCIEDADE GRECO-ROMANA

O preconceito em relação às mulheres era bastante notado no período greco-romano. Os homens as classificavam como seres mais frágeis e que tinham como principal função gerar filhos com o intuito de garantir a continuidade da raça humana. Elas ainda deveriam "fornecer" prazer ao marido e realizar seus afazeres domésticos. Essa linha de pensamento acabou por permear a cultura ocidental.

As mulheres não possuíam quaisquer direitos de voto nas assembleias gregas e romanas, que eram os eventos que conduziam a política da sociedade da época. Isso porque elas não tinham cidadania ativa.

Elas eram classificadas em três tipos: esposas, concubinas e prostitutas. As primeiras eram aquelas que permaneciam restritas ao ambiente familiar. Dessa forma, não havia qualquer contato com

Pintura mostra relação sexual entre prostituta e cidadão romano

outros seres do sexo masculino, senão aqueles que compunham a sua própria família. As concubinas, por sua vez, eram mulheres – tanto escravas como livres – que auxiliavam os seus senhores nas tarefas do dia a dia. Já as prostitutas ou cortesãs – naquela época, também chamadas de "lobas" pelos romanos – eram vistas como a principal fonte do prazer, preservando assim a pureza das mulheres livres (esposas e filhas dos cidadãos).

Os prostíbulos daquele período eram chamados popularmente de "lupanares". As mulheres que trabalhavam nesses bordéis eram separadas de acordo com suas belezas. Os filósofos e artistas desfrutavam dessas paixões com frequência. Diziam, geralmente, que buscavam nelas "inspiração".

No entanto, é importante destacar que, com relação às esposas, os maridos carregavam a responsabilidade de garantir respeito e também proteção. Já se o marido viesse a morrer, por exemplo, elas perdiam tal condição, poderiam acabar na completa miséria e, em diversos casos, precisariam recorrer à prostituição para sobreviver.

GASTRONOMIA

A fusão das duas culturas chegou também à mesa dos habitantes do Império Romano. Houve um período de intercâmbio de produtos variados vindos de diferentes lugares do mundo. A alimentação era composta, basicamente, por frutas e vegetais. A população consumia muita cebola, alho, nabo, romã, laranja e uva.

O grego levou ao prato romano uma comida típica que tinha como elemento principal a cevada. Era uma espécie de mingau que, quando consumido de maneira mais requintada, continha ainda vinho e miolos de animais.

Aliás, apenas os cidadãos nobres se alimentavam de carnes de variados tipos de animal, com exceção dos cortes bovinos, porque eles tinham o boi como uma alternativa de tração animal.

O Mediterrâneo ainda possibilitou o consumo de incontáveis espécies de peixes e frutos do mar. A capital Roma ajudou na propagação do uso de especiarias, como salsa, orégano e pimenta.

Era produzida quantidade e variedade significativa de pães. No começo, tratava-se de uma tarefa exclusivamente das mulheres. Entretanto, a partir do terceiro século, começaram a surgir os primeiros padeiros e as casas de pães. Havia pães de primeira, segunda e terceira qualidades. Esse último, como é de se imaginar, era

> ### LEGADO GASTRONÔMICO
> Esse período garantiu um legado na evolução técnica da gastronomia. Nessa época, houve a criação de caldeirões; as panelas deixaram de ser feitas de barro – o que garantia maior segurança aos cozinheiros –; os fogões saíram dos locais públicos e passaram para os espaços privados; surgiram os elementos da etiqueta à mesa (uso de garfos, colheres e guardanapos); e toalhas passaram a ser utilizadas nas mesas.

consumido pelas camadas mais pobres. Na maioria das vezes, o pão era comido com especiarias, como ovos e figos.

Por se tratar de uma região produtora de uvas, não é de se espantar que o vinho estivesse presente em boa parte dos banquetes. Os romanos passaram a dominar, através dos anos, muitas técnicas de conservação do vinho. Contudo, havia ainda outras bebidas bastante comuns, como a posca, feita de vinagre e água (os mais pobres e os soldados eram os principais consumidores); o Zhytum, cerveja feita de cevada ou trigo; e o Camum, também produzido a partir da cevada, mas que passava pelo processo de fermentação.

A MODA

Os vestuários clássicos grego e romano têm características curiosas. A indumentária era dobrada, enrolada e presa ao corpo com grampo. Isso ocorria porque, na época, os tecidos eram considerados preciosos demais para serem desperdiçados com cortes ou modelagens.

As roupas apresentavam um número muito grande de pregas e dobras. Entre os romanos, o traje apresentava duas combinações mais comuns de peças: túnica com palla – retângulo de tecido sobre a estola – para as mulheres, e túnica com toga para os homens.

As túnicas eram mais utilizadas junto ao corpo. O formato delas alternava bastante de acordo com a atividade, classe ou gênero da pessoa. Já o material possuía uma relação direta com o status do cidadão. O nome da versão masculina da peça era quíton, que, com o tempo, passou a ser usado na altura dos joelhos.

Por sua vez, a túnica vestida pelas mulheres apresentava um comprimento maior e era chamada de peplos. As duas formas de túnica eram constituídas de um grande retângulo de tecido dobrado sobre o corpo e preso por fechos.

O quíton jônico, peça dos cidadãos mais abastados, era de um tecido mais fino, como seda ou linho. O quíton dórico, o modelo mais simples, era feito de lã. As pregas, semipermanentes, eram obtidas engomando e pressionando o tecido debaixo do calor do sol. Já o quíton usado pelos escravos e homens do povo consistia, basicamente, em dois retângulos unidos por uma costura, com um buraco em cima e um embaixo, para cabeça, braços e pernas.

Os homens de status mais alto utilizavam peças decoradas com listras verticais. Vale ressaltar que as leis suntuárias eram muito rígidas e havia a regulação sobre quem poderia ou não usar cada um dos tipos de vestuário.

A túnica vestida pelas mulheres apresentava uma soltura maior e era utilizada com um cinturão sob o peito, na cintura e nos quadris. Além disso, eram encontrados modelos mais sofisticados, com mangas arrematadas no pulso por meio de uma tira de tecido mais rígido. Essas túnicas deixavam os braços à mostra.

No ambiente do Império Romano ainda podiam ser usadas por cima das túnicas – por dignidade ou então para se proteger do clima – peças conhecidas na Grécia como "himation". Era uma capa

Ilustração traz detalhes das indumentárias masculina e feminina no Império Romano

unissex utilizada pelos homens, muitas vezes, sem a túnica por baixo. Os soldados tinham o hábito de trajar outra qualidade de capa, chamada "chlamys", mais curta.

A toga era uma peça muito comum na Roma Antiga. Enrolada no corpo, ela apresentava uma forma retangular e curta. Com o tempo, passou a ser semicircular e o tamanho dela aumentou: chegava a incríveis seis metros no lado reto. Era uma indumentária tão difícil de ser usada que os romanos de mais posses tinham um escravo apenas para ajudar a carregar a cauda da beca.

Estrangeiros e servos eram proibidos de fazerem uso da toga, uma marca registrada dos cidadãos romanos. A roupa era uma evidência não só de posses materiais, como também de importância social.

Os filhos nascidos libertos indicavam esta sua condição no meio da sociedade por meio de uma toga branca com uma listra roxa. Contudo, a toga considerada como a mais opulenta era a picta, vastamente decorada, de cor roxa, bordada a ouro e usada pelos imperadores.

Os romanos ainda vestiam a toga pulla, traje escuro especialmente feito para os momentos de luto.

ARQUITETURA

A arquitetura greco-romana teve influência direta na evolução cultural e artística do Ocidente. Os gregos antigos criaram diversas obras de arte para, por exemplo, templos e prédios públicos. Como a religião olímpica da Grécia acenava para deuses com formas humanas, houve a concepção de imagens de ídolos, que logo precisaram de abrigos adequados. Esses locais foram erguidos em forma de casas.

Na chamada Idade das Trevas, as residências poderiam ter formato circular, elíptico ou retangular. Com isso, os templos assumiriam, logicamente, uma dessas formas. Foi então que o retângulo predominou.

Mas o incremento principal da arquitetura grega aconteceu no momento em que as colunas foram colocadas ao redor do prédio do templo. Dentro desse contexto, três normas de composição arquitetônica se desenvolveram na Grécia: dórico, jônico e coríntio.

Essas evoluções na arquitetura grega clássica influenciaram diretamente outros povos na época de sua criação. Os romanos adotaram as colunas e demais formas gregas como base e fizeram

> ### TRADIÇÃO DA QUEBRA DE PRATOS
>
> Os gregos mantiveram nesse período o curioso hábito de quebrar pratos. Não há certeza de como surgiu essa ideia, mas historiadores afirmam que ela já estava incorporada à cultura grega havia 4 mil anos. Alguns acreditam que uma das possíveis explicações para essa tradição seria que os habitantes da Grécia Antiga criam que o rompimento dos utensílios afastava os maus espíritos. Além disso, seria uma prova de desapego aos bens materiais.
>
> Nos tempos modernos, tal ação passou a ter outros sentidos e era usada pelo público para mostrar satisfação por um artista ou ainda para animar pessoas que estivessem dançando. Muito tempo depois, já na década de 1930, a quebra dos pratos já tinha virado uma prática tão normal que os restaurantes estavam habituados a comprar cerâmicas especialmente para que fossem quebradas no fim da noite.
>
> Atualmente, a tradição é proibida nos restaurantes gregos por causa do número elevado de pessoas que acabava se machucando com os pedaços dos pratos. Para preencher essa lacuna, o costume foi trocado por outro. Agora, os gregos atiram flores.

adaptações a seu modo. Em outras localidades, o exuberante estilo arquitetônico grego acabou sendo utilizado em construções mais pessoais, como as próprias casas.

Apesar de ser considerada uma derivação da arquitetura grega, a vertente romana também gerou suas próprias características e deixou um vasto acervo para o Ocidente. As edificações dessa época encontram-se por toda a Europa e ainda nos dias de hoje são objeto de estudo.

Porém, a importância da arquitetura de Roma não se restringe à beleza e estética. A elevadíssima qualidade das construções é impressionante. O Panteão, por exemplo, segue em bom estado de conservação mesmo após tanto tempo. A arquitetura da Roma Antiga apresenta uma excelência tão grande que certas técnicas daquele período continuam sendo utilizadas, como os aquedutos que servem para abastecer de água algumas vilas. Atualmente, os profissionais da arquitetura têm buscado combinar aqueles elementos antigos com novas concepções. O que impressiona é que essas heranças não ficam restritas à decoração, mas também a uma melhor estruturação.

No sul dos Estados Unidos, a influência da arquitetura grega é bastante perceptível nas casas de estilo grego renascentista. Algu-

Uso de colunas é uma das principais características da arquitetura grega

mas residências se utilizam de grandiosas colunas. Há também pequenas casas geminadas com colunas nas entradas.

Nos prédios públicos e de governos contemporâneos também há evidente referência. Tudo porque a arquitetura grega projeta autoridade, permanência e poder, qualidades imprescindíveis para tais edificações. A Suprema Corte dos Estados Unidos é um caso. Ela apresenta conceitos da arquitetura coríntia. A entrada oeste conta com 16 colunas coríntias sob uma arquitrave entalhada. Tais colunas são cobertas com uma coroa de folhas de acanto com detalhes minuciosamente gravados.

10
A EVOLUÇÃO DAS EXPRESSÕES ARTÍSTICAS

OS GREGOS APERFEIÇOARAM A ARTE
DOS EGÍPCIOS E PROPORCIONARAM AVANÇOS
IMPORTANTES NA PRODUÇÃO CULTURAL

A EVOLUÇÃO DAS EXPRESSÕES ARTÍSTICAS

Na época em que chegaram ao Peloponeso, vindos do norte, os gregos eram considerados indivíduos de diferentes tribos e não um povo em si. Isso se deve ao fato de falarem distintos dialetos e serem governados por líderes diversos. Entre eles, os grupos mais conhecidos eram os jônios, dórios e eólios. Mais tarde, contudo, já espalhados pelas mais variadas áreas da Península, os gregos originaram uma civilização reconhecida como uma das mais magníficas dos tempos antigos.

Quando mantiveram contato com os fenícios, eles desenvolveram atividades como comércio, navegação e também aprenderam a escrita. Os habitantes da Grécia, sobretudo aqueles de Atenas, eram conhecidos por serem muito curiosos, dinâmicos e ávidos por novidades.

Tais predicados foram fundamentais para que conseguissem produzir um tipo de arte e cultura sem precedentes. Cultivaram uma mitologia especialmente rica e desenvolveram magistralmente a filosofia, o teatro e as revoluções esportivas – sendo os Jogos Olímpicos, realizados a cada quatro anos em honra a Zeus (principal deus da mitologia), o principal evento. Essas antigas concepções compõem até os dias de hoje o tesouro cultural da humanidade.

A produção artística em quase todo o território grego passou a ser chamada de arte micênica. A exceção ficava por conta de Creta, onde era desenvolvido o estilo minoico. Em geral, os artistas da Grécia procuravam manifestar aquilo que verificavam na própria natureza. Eles buscavam expressar suas obras com perfeição, harmonia e equilíbrio.

Depois de uma fase de franca influência da Mesopotâmia, a arte grega conheceu uma época fértil e madura, no período arcaico, que perdurou até 475 a.C. A base da produção artística que viria a seguir foi alicerçada nesse momento, quando houve a definição de seus pilares estéticos.

Após confrontar-se com os persas nos campos de batalha, a arte grega conseguiu uma importante conquista: a sua autonomia cultural na região mediterrânea. A chamada fase clássica perdurou de 475 a.C. até 323 a.C., e constituiu-se como o último período artístico essencialmente grego. Essa é denominada a idade de ouro de seu movimento artístico, liderado pela cidade de Atenas.

PRINCÍPIO DA ARTE GREGA

O início das atividades artísticas daquele povo apresentava obras ainda rústicas e um tanto primitivas. Mesmo assim, já era traçado o caminho para um estilo que, sendo lapidado gradualmente, viraria um grande exemplo e passaria a ser admirado por diversos anos e diferentes povos.

A arte dos gregos, assim como ocorrera com os egípcios, também era construída para os seus deuses ou em função deles. A diferença, porém, era que tais divindades possuíam formas humanas e os templos sagrados edificados para eles não apresentavam as grandiosas dimensões das construções do Egito. Além disso, não havia um governante "divino" tão poderoso ao ponto de escravizar e forçar um povo a trabalhar para si.

ESCULTURAS

As tribos da Grécia estavam distribuídas por inúmeras cidades, entre as quais as chamadas "cidades-estado". Porém, apesar de certa rivalidade entre elas, nenhuma exerceu domínio de forma absoluta sobre as outras.

Antiga ânfora grega pintada

A EVOLUÇÃO DAS EXPRESSÕES ARTÍSTICAS

Segundo escreveu o historiador de arte Ernst Hans Josef Gombrich, foi em Atenas que a "maior e mais surpreendente revolução em toda a história da arte produziu seus frutos". Onde e em qual data não se sabe exatamente. O que se tem conhecimento é que os artistas gregos iniciaram esse processo fazendo estátuas de pedras, uma continuidade do trabalho dos egípcios. Nesse período, havia certo equilíbrio entre seguir algumas regras e a liberdade de criação. Sem exceção, os escultores gregos quiseram compreender como representar determinado corpo. Enquanto os egípcios basearam a sua arte no conhecimento, os gregos começaram a utilizar os seus próprios olhos. Teve início então essa revolução.

Há traços muito claros da arte do Egito naquela produzida pelos gregos, que, no entanto, estavam mais interessados em suas próprias experiências. Eles já não se preocupavam em seguir as consagradas regras de outrora.

Nas estátuas dos irmãos Cleóbis e Biton, produzidas por Polímedes, é possível verificar diversas normas egípcias. Em contrapartida, se nota também uma busca pela inovação: os joelhos são marcados com o objetivo de reproduzi-los como realmente são. Esse escultor

Busto de Nefertifi, peça egípcia de 1360 a.C.: Egito influenciou a arte grega

Estátuas de Cleóbis e Biton, do escultor grego Polímedes

deu início a uma experimentação própria. Ele poderia ter seguido o formato de joelho egípcio, como fez na maioria das formas, mas se preocupou em fazer diferente, em experimentar outra maneira de representar a figura, mesmo que essa experiência tenha resultado numa solução não tão boa quanto a dos seus colegas do Nilo.

Assim, as descobertas e as novas ideias foram brotando paulatinamente. O escultor tentava alguma técnica inovadora e, imediatamente, compartilhava com os outros. Por meio do intercâmbio, os artistas acrescentavam as suas próprias habilidades e inovações àquilo que recebiam de terceiros.

Um aspecto importante de salientar é que os gregos não tinham como objetivo ou intenção representar em suas peças a melhor visão daquilo que seria retratado. Antes, preferiam ter pela frente o desafio de apresentar as coisas como as viam.

Esses artistas da Grécia já não se sentiam arraigados ou obrigados a mostrar tudo o que passava diante deles. Eles não consideravam mais tão sagradas assim todas aquelas formas de representação. Mesmo com as regras, possuíam a liberdade para criar com mais desapego. Os escultores podiam representar somente um pedaço de uma mão nos momentos em que essa se encontrava atrás da outra mão. Em suma, para esses desbravadores e artistas gregos, o estudo da forma era de extrema importância. Entender e poder representar a forma eram seus desafios.

Nesse contexto, eles exploravam a anatomia de ossos e também de músculos, ainda que estivessem representando a figura com vestimentas. A roupagem drapeada acompanhava a forma do corpo, não simplesmente cobria. A indumentária, de certa maneira, revelava o corpo.

Assim, esses artistas criaram figuras que impressionavam. É verdade que as primeiras obras não tinham todo o vigor que alcançaram mais adiante. No entanto, já era notável a busca pela perfeição da forma. Os retratos talvez também não trouxessem os retratados à lembrança, mas havia uma intenção de imitar o rosto real. Eles os produziam de acordo com os seus conhecimentos sobre a figura humana, em sua melhor forma.

ESTÁTUAS DESTRUÍDAS NO PERÍODO CRISTÃO

O historiador austríaco Ernst Hans Josef Gombrich explica em seu livro "A História da Arte" que a razão do desaparecimento de quase todas as estátuas do mundo antigo foi que, após a ascensão do cristianismo, já no Império Romano, "considerava-se piedoso destruir estátuas dos deuses pagãos".

A BUSCA PELO IDEAL

Quando esculpiam, os gregos procuravam a perfeição, tendo o homem como o tema principal. Assim, era retratado o ser humano e seu comportamento diante de distintas ocasiões. Do mesmo modo, os seus deuses eram criados. A escultura "Apolo Belvedere" mostra o modelo ideal grego do corpo de um homem. Hoje, a dificuldade para identificar certos traços das obras gregas ocorre porque as estátuas que conhecemos são, em grande parte, cópias produzidas pelos romanos. Graças a essas réplicas, podemos ter uma ideia de como eram as peças gregas, porém essas cópias apresentam uma aparência um pouco mais delicada se comparadas às originais.

Um dos escultores mais importantes daquele período, Fídias foi responsável não apenas pela decoração do Parthenon, mas também pela estátua de Zeus em Olímpia, duas de suas principais obras. Essa estátua de 11 metros de altura foi perdida, mas os fragmentos foram encontrados no templo de Zeus, em Olímpia, e ainda existem.

MOVIMENTO

Além de Fídias, outro artista muito relevante desse período foi Myron, que incorporou o movimento na escultura. As frequentes solicitações por "estátuas em ação" talvez tenham ajudado escultores como ele a aperfeiçoarem as suas habilidades e os seus conhecimentos do corpo humano em pleno movimento.

O interesse por peças "em ação" estava ligado ao esporte. Um templo como o de Olímpia ficava continuamente cercado de estátuas de atletas vitoriosos dedicadas aos deuses mitológicos. Isso talvez soe estranho nos dias de hoje, pois não é esperado, por mais populares que sejam, ver as imagens dos nossos campeões oferecidas a uma igreja como agradecimento por uma vitória conquistada.

Porém, as grandes reuniões esportivas dos gregos, das quais os Jogos Olímpicos eram as mais nobres, tinham características muito diferentes das nossas modernas competições. Estavam mais intimamente ligadas às crenças religiosas e aos ritos do povo.

Aqueles que participavam dos jogos não eram simples esportistas – amadores ou profissionais –, mas membros das principais famílias da Grécia. Os vencedores dessas competições eram vistos com veneração. Eles eram tidos como homens a quem os deuses tinham favorecido com o dom da invencibilidade.

Era para descobrir sobre quem a bênção da vitória incidira que eles celebravam originalmente os jogos. Para comemorar e, talvez, perpetuar tal sinal de graça divina, os vencedores encomendavam suas estátuas aos mais famosos artistas do período.

Cada um à sua época, os escultores gregos foram conquistando cada vez mais a "perfeição" desejada em suas obras. Sua preocupação era representar o que viam com movimentos, rostos e corpos perfeitos.

Mais do que isso, eles conseguiram representar em suas obras os sentimentos e os pensamentos humanos. Ao menos era isso que Sócrates, o grande filósofo, procurava instigar os artistas a fazer: "Deviam representar a atividade da 'alma', observando minuciosamente o modo como 'os sentimentos afetam o corpo em ação".

Elogiavam, finalmente, a beleza das obras e criticavam como a forma era gerada. Os artistas gregos tinham como principal objetivo a beleza, a expressão dramática e a harmonia. Não é por acaso que a Grécia se tornou o berço do teatro e da filosofia, pois as interpretações e questionamentos eram atividades comuns naquele lugar.

Os gregos deixaram um legado muito rico em vários sentidos. Eles exploraram, inovaram, criaram e fizeram-se representar em cada pedaço de suas obras. Foram seus olhares e conhecimentos sobre cada criação que chegaram até nós. Desse modo, os criadores são revelados em cada obra que hoje podemos admirar.

Além dos artistas já citados, outros escultores da era clássica também se destacaram, casos de Praxíteles, Policleto e Lisipo.

ARQUITETURA

Verificamos que as esculturas continuaram sendo produzidas sobre ou para os deuses, já que é próximo aos templos ou mesmo dentro deles que elas são encontradas, na maioria dos casos. Dessa forma, fica nítida a importância da arquitetura grega, proprietária de monumentos classificados como verdadeiras esculturas. De

A EVOLUÇÃO DAS EXPRESSÕES ARTÍSTICAS

Mural em Pompeia apresenta algumas das características das pinturas gregas da época

PINTURAS EM POMPEIA

O acesso às pinturas antigas gregas também pode ser obtido por meio dos murais e mosaicos descobertos em Pompeia, pequena cidade romana que foi encoberta quando o Monte Vesúvio entrou em erupção, em 79 d.C. Lá, quase todas as casas e vilas tinham pinturas murais, colunatas e galerias ilustradas, imitações de quadros emoldurados e de cenários para palcos teatrais. Os artistas, com grande influência helênica, desenharam e pintaram livremente utilizando-se de algumas técnicas de perspectiva e de efeitos de luz e sombra que já dominavam. Nessas pinturas, foram encontradas cenas campestres, naturezas-mortas, paisagens – o que era uma grande inovação –, cenas com animais, entre outras.

acordo com as características de suas colunas, esses estilos podem ser divididos em três tipos: dórico, jônico e coríntio.

A expressão "ordem dórica" se refere aos componentes do templo dórico, típico da Grécia continental. Muitos a classificam como a mais rústica das três. A "ordem jônica" se difundiu mais nas povoações gregas da Ásia Menor e do Egeu e é caracterizada basicamente por seus capitéis ornamentados. Já a "ordem coríntia" apresenta colunas encimadas por folhas de acantos. Essa última se desenvolveu bem mais tarde e só passou a ser amplamente usada em exteriores na época dos romanos.

A curva ao longo das linhas de cima de uma coluna se chamava entasis. Obedecendo à fixação dos gregos pela harmonia, essa ligeira curva transmitia um efeito mais fluido, e não rígido. Às vezes, as colunas caneladas eram substituídas por figuras femininas, chamadas cariátides.

PINTURA

Enganam-se aqueles que acham que a revolução na arte se resumia somente às esculturas. Os pintores gregos também ousaram no uso de suas técnicas e observações. Eles, inclusive, eram até mais famosos que os escultores daquele período. O fato negativo é que não restaram obras originais da pintura grega. Mesmo assim, através de objetos domésticos de cerâmica é possível ter conhecimento dos detalhes dessa arte. Os objetos encontrados, em grande parte, são vasos gregos. Eles serviam como reservatórios de azeite e vinho, os principais produtos da Grécia Antiga.

Ésquilo, pai da tragédia grega, teria morrido de forma trágica

ÉSQUILO E SUA MORTE BIZARRA

A história da morte de Ésquilo, o pai da tragédia, é considerada extremamente bizarra. Conta-se que ele foi vítima de sua própria calvície. Ele teria morrido quando uma águia faminta derrubou uma tartaruga sobre sua cabeça para que a casca rompesse e a ave tivesse acesso à carne. Aparentemente, a águia confundiu a careca de Ésquilo com uma rocha.

Por meio das pinturas nos vasos, eram contadas histórias de deuses e heróis da mitologia ou narrados eventos contemporâneos, como festas e guerras. O estilo mais antigo de pintura é o geométrico, que levava esse nome devido à forma de suas figuras e ornamentos.

O Período Arcaico tardio foi o apogeu da pintura em peças de cerâmica. No estilo de figura negra, adotado no final dessa época, as imagens ganhavam destaque em negro enquanto o fundo era avermelhado. O artista riscava os detalhes do desenho com uma agulha e, assim, expunha a tonalidade da argila. O estilo de figura vermelha, que começou, aproximadamente, em 530 a.C., invertia o esquema de cores.

TEATRO NA GRÉCIA ANTIGA

O processo de consolidação do teatro na Grécia Antiga ocorreu em função das manifestações em homenagem a Dionísio, o deus do vinho. A cada nova safra de uva, acontecia uma grande festividade para agradecer o deus por meio de procissões.

Com o tempo, essas procissões, denominadas "ditirambos", ficaram cada vez mais elaboradas e surgiram, assim, os diretores de coro. Os participantes apresentavam cenas sobre as peripécias de Dionísio, cantavam e dançavam. Geralmente, eram reunidas cerca de 20 mil pessoas nas áreas urbanas.

NARRATIVAS HOMÉRICAS INFLUENCIAM EDUCAÇÃO

Os poemas "Ilíada" – que trata da guerra travada entre gregos e troianos – e "Odisseia" – narrativa sobre a volta para casa de um dos heróis gregos que combateram em Troia –, tiveram importância direta na formação do homem grego.

Atenienses, tebanos e espartanos tinham uma forma de educação aristocrática, ou seja, as pessoas eram educadas a partir do modelo dos heróis das histórias homéricas para poder imitar suas virtudes e se tornar cidadãos melhores. Entre essas qualidades estavam a coragem, a prudência e a astúcia.

As narrativas de Homero, quando lidas em grupo, garantiam aos estudantes uma capacidade maior de compreensão da língua grega clássica e ritmo dos versos. Isso facilitava a comunicação em todas as atividades.

O primeiro diretor de coro foi Téspis, convidado pelo tirano Psistrato para dirigir a procissão de Atenas. Téspis desenvolveu o uso de máscaras para representar. Em razão do grande número de participantes, era impossível todos escutarem os relatos, porém podiam visualizar o sentimento da cena pelas máscaras. O coro era composto pelos narradores da história, que, por meio de representação, canções e danças, relatavam as histórias do personagem. Ele era o intermediário entre o ator e a plateia, e trazia os pensamentos e sentimentos à tona, além de apresentar também a conclusão da peça.

Ainda podia haver o Corifeu, um representante do coro que se comunicava com a plateia. Em uma dessas procissões, Téspis inovou ao subir em um tablado para responder ao coro, e, assim, tornou-se o primeiro respondedor de coro. Em razão disso, surgiram os diálogos e Téspis tornou-se o primeiro ator grego.

A comédia na Grécia Antiga se sustentava na sátira política. Aristófanes (448 a 380 a.C.) é tido como o maior representante da comédia antiga e o único autor cujas obras completas estão preservadas ainda hoje. Existe também uma comédia quase completa de Menandro. Os três grandes mestres da tragédia grega foram Ésquilo, Sófocles e Eurípedes. Ésquilo (525 a 456 a.C.) tem como principal texto Prometeu Acorrentado, que conta fatos sobre os deuses e os mitos. Sófocles (496 a 406 a.C.) é autor do famoso Édipo Rei, um personagem da mitologia grega e também uma tragédia escrita por volta de 427 a.C. Já Eurípides (484 a 406 a.C.) teve como principal contribuição a obra As Troianas.

MÚSICA

Os gregos são ainda responsáveis pelo estabelecimento das bases para a cultura musical do Ocidente. Nas cidades de Tirinto, Micenas e Cnossos a música era executada de modo integrado à poesia e à dança. Os poemas eram recitados ao som de acompanhamento musical da lira, o que originou o uso do termo "lírico" para esse gênero poético. Os instrumentos mais importantes, além da lira, eram a cítara e o aulos (sopro).

O desenvolvimento da música paralelamente ao próprio desenvolvimento das cidades gregas fez com que surgissem teorias filosóficas que procuravam compreender seu significado e importância. Platão considerava que a música tinha grande poder de influência sobre o homem, por isso deveria estar sob o controle do Estado, considerado como responsável por garantir o bem social.